Gair
ar Waith

Casgliad o fyfyrdodau
yn canolbwyntio ar roi ein ffydd ar waith
yn ymarferol mewn bywyd bob dydd

gan
Denzil I. John

® Cyhoeddiadau'r Gair 2019
Testun gwreiddiol: Denzil I. John
Golygydd testun: Mair Jones Parry
Golygydd Cyffredinol: Aled Davies
Cynllun y Clawr: Rhys Llwyd

**Dymuna'r cyhoeddwyr gydnabod cymorth
Adran Grantiau Cyngor Llyfrau Cymru.**

Argraffwyd oddi fewn i'r Undeb Ewropeaidd

Cyhoeddwyd gan
Cyhoeddiadau'r Gair, Cyngor Ysgolion Sul Cymru,
Ael y Bryn, Chwilog, Pwllheli, Gwynedd LL53 6SH.
www.ysgolsul.com

Cynnwys

Cyflwyniad

Bu pwyslais amryw o eglwysi yng Nghymru yn ystod 2016 ar y 'Beibl Byw', ac yn y flwyddyn ddilynol ceisiwyd rhoi gwedd genhadol i'r thema drwy sôn am 'Fyw y Beibl'. Ers degawdau bellach gwelodd pob traddodiad Cristnogol arwyddion o drai ar grefydd yng Nghymru, a bu nifer o eglwysi yn chwilio am ddeunydd addas i gynnal gweithgareddau a fyddai ar y naill law yn diwallu yr anghenion ysbrydol a hefyd yn cynnig syniadau i estyn allan i'r gymuned ehangach.

Her i bob enwad oedd ceisio newid y drefn a chwilio am ffyrdd o addasu gweithgarwch yr eglwysi fel bod addoliad, cymdeithas a chenhadaeth yr eglwys leol yn edrych allan i'r byd. Mae angen ceisio ffyrdd gwahanol a deniadol i gyfathrebu gyda'r sawl a beidiodd fynychu addoliad eglwys neu na fu erioed yn rhan o gymdeithas ffydd. Dyma oedd y syniad creiddiol i hyrwyddo'r meddylfryd o 'Fyw y Beibl'.

Lluniwyd y myfyrdodau sydd yn y cyhoeddiad hwn i'w dosbarthu dros y we i aelodau Eglwys y Tabernacl, Caerdydd yn ystod 2017. Bu D. Hugh Matthews a minnau yn gwneud hynny bob yn ail flwyddyn ers tro. Diolch i Wasg Cyhoeddiadau'r Gair a'r Parch. Aled Davies am drefnu i gyhoeddi'r gwaith ac i Gyngor Llyfrau Cymru am eu cefnogaeth hwythau.

Trefnwyd hwy yn fras i fod yn berthnasol i dymhorau'r flwyddyn. Bydd ynddynt gyfeiriadau at ddigwyddiadau cenhadol eglwysi yng Nghymru a thu hwnt. Roedd yr wybodaeth a geir yn y myfyrdodau yn gyfredol pan luniwyd hwy yn 2017. Ceir cyfeiriadau at brosiectau yn y Tabernacl oherwydd mai aelodau'r eglwys oedd i'w derbyn yn wreiddiol. Manteisiwyd ar weithgaredd eglwysi mewn ardaloedd a gwledydd eraill hefyd. Gobeithiwn y bydd syniadau o fewn i'r myfyrdodau hyn a fydd yn sbarduno ardaloedd eraill i ystyried sut i addasu prosiect ar gyfer eu hamgylchiadau hwy. Gellir eu defnyddio fel cyfres o fyfyrdodau personol, neu eu hystyried fel sylfaen trafodaeth ar gyfer grwpiau eglwysig. Byddwn yn ddiolchgar o glywed am unrhyw ymdrech i fod yn genhadon cyfoes yng Nghymru, gan gredu bod y dyrnaid lleiaf yn medru hyrwyddo'r chwyldro mwyaf.

Denzil Ieuan John

Gweddïo'n gyson

Gweddi

Sanctaidd Dduw, plygwn yn wylaidd ac yn ostyngedig mewn gweddi a gofyn i ti ein tywys wrth i ni ddod ger dy fron. Bydd yn drugarog gyda ni wrth i ni gropian i'th gwmni, ac ystyried y myfyrdod hwn. 'Arglwydd, dysg i ni weddïo, priod waith pob duwiol yw.' Amen.

Darlleniad: Mathew 6: 5–13

Cyflwyniad

Un o nodweddion bywyd Iesu yn yr Efengylau oedd ei fod yn gweddïo'n gyson. Mae'n rhaid bod hyn wedi creu argraff gref ar y disgyblion gan iddynt ofyn iddo eu dysgu i weddïo. Tybiwn yn sicr fod y werin Iddewig yn gyfarwydd â'r hyn a ddigwyddai yn y synagogau, a byddai'r defosiwn yn gyfarwydd iddynt. Byddent yn siŵr o fod yn medru adrodd darnau helaeth o'r defosiwn Iddewig ar eu cof, yn arbennig y Salmau, a phrin bod angen i neb eu dysgu i ddilyn hynny. Eto, roedd rhywbeth yng ngweddïo Iesu a oedd yn wahanol ac yn peri iddynt ofyn am help i weddïo fel y gwnâi ef.

Ceir cyfeiriadau at weddïau Abraham, Jacob a Samson, Dafydd a Daniel, a llu o gymeriadau amlwg eraill yr Hen Destament. Ceir sawl cyfeiriad yn llythyron Paul at weddi, ac anogai'r apostol ei gyfeillion i weddïo yn ddi-baid. Ceir gweddïau preifat, personol, teuluol a chyhoeddus, a gall y gweddïau hyn gynnwys sawl gwedd megis addoliad, cyffes, diolchgarwch, eiriolaeth ac ymgysegriad. Yn y gyfres hon o fyfyrdodau rhoddir gweddïo fel rhan ymarferol o fywyd yr eglwys gan ei fod yn rhan sylfaenol ac anhepgorol o fywyd y credadun a'r gynulleidfa. Beth bynnag arall a wna eglwys wrth fyw y ffydd, bydd angen ymarfer gweddi fel hanfod ein byw. Fel anadlu'r corff, bydd yr enaid yn gweddïo'n reddfol.

Myfyrdod

Yn ystod y gyfres hon o fyfyrdodau cyfeirir at yr amrywiol agweddau o fyw y ffydd, ond prin bod modd gwneud dim heb ofyn am arweiniad y

Tad Nefol wrth gychwyn ar y gwaith. Ni ellir disgwyl bendith Duw ar ein hymdrechion heb ein bod yn cyflwyno'r gweithgaredd a chyflwyno'n hunain yn gyntaf.

Deallwn fod nifer o eglwysi yng Nghymru wedi hepgor oedfaon defosiynol. Bydd aelodau'r eglwysi yn tybied na allant weddïo heb gael eu hyfforddi i wneud. Ceir digon o ddeunyddiau mewn llyfrau pwrpasol bellach, a diolch i'r Cyngor Ysgolion Sul am sicrhau deunyddiau amrywiol eu pwyslais. Os digwydd bod eglwysi yn brin o ddoniau cyhoeddus, onid dyna gyfle eglwysi mewn pentref neu dref i ddod ynghyd naill ai yn y capel neu ar aelwyd teulu. Nid oes cyfyngiad nac amod ar hyd y cyfarfod, boed yn hanner awr neu awr a hanner. Nid oes chwaith reol am hyd gweddi, ond ei bod yn ddidwyll a naturiol.

Gweddi

Diolch i ti Nefol Dad am ganiatáu i ni gael dod ger dy fron a rhannu mewn sgwrs gyda thi. Diolch am ein cynorthwyo i fod yn dy gwmni ac am y fendith a deimlwn wrth wneud hynny. Mae dy gwmni di fel gwres i berson rhynllyd a diod i berson sychedig, yn fwyd i'r sawl sy'n llwgu a chyfeiriad i'r bobl sy'n crwydro'n ddibwrpas. Amen.

Dosbarth Beiblaidd ac Ysgol Sul

Gweddi

Arglwydd Dduw, ceisiwn dy fendith wrth i ni fyfyrio ar werth y Beibl a phwysigrwydd ei ddarllen. Gwyddom na allwn ymroi i'r Efengyl ymarferol heb ein bod wedi ymwreiddio yn y gwaith sylfaenol. Yn ystod ein myfyrdod heddiw, gofynnwn am dy gymorth i ddeall hyn. Amen.

Darlleniad: Luc 4: 14–30

Cyflwyniad

Mae Mathew, Marc a Luc yn rhoi sylw i'r hanes am Iesu yn dychwelyd i Nasareth, a phawb wedi clywed amdano. Lledodd yr hanes am y pregethwr ifanc hwn a siaradai 'megis un ac awdurdod ganddo' ac a lwyddodd i wneud daioni. Byddent yn hapus i uniaethu â'i boblogrwydd a'i lwyddiant. Wedi'r cyfan, roedd yn un o'u cymuned ac wedi gwneud enw da iddo'i hun. Tybiai'r gynulleidfa eu bod yn tystio i fachgen a fyddai'n codi i fod yn enwog ymhlith yr Iddewon ac yn dwyn enw Nasareth i sylw arweinwyr y drefn Iddewig. Ystyrient eu bod yn hyddysg yn yr Ysgrythurau a'u bod yn gwrando ar bregethu ffres a pherthnasol Iesu.

Ond pan ddechreuodd Iesu ddangos nad oedd y drefn Iddewig wedi gwneud cyfiawnder â'r gweddwon a'r gwahangleifion, aeth y gynulleidfa yn anniddig. Roedd Iesu yn crwydro oddi ar lwybr y ddysgeidiaeth gyfforddus roeddent wedi arfer â hi. Roedd y pregethwr hwn yn herio'r drefn ac yn dangos ei gwendidau. Mae'r Ysgrythur o hyd fel drych yn dangos gwendid dyn a'i fodd o grefydda, ac yn ein herio a'n gwneud yn anniddig. Bydd eglwys sy'n chwilio am fodd o fyw y ffydd angen dod i'r fan honno o weld rhyfeddod Duw a'i bwrpas ynghyd â gweld dyn yn ei wendid a'i angen.

Myfyrdod

Mae pob tröedigaeth a diwygiad yn cychwyn gyda'r dasg o ddarllen y Beibl yn weddigar a gofyn sut mae'r testun yn datguddio Duw ac yn siarad gyda dyn yn ei gyfnod a'i gyflwr. Byddwn yn cyfeirio at hanes Philip a'r eunuch mewn adran arall, ond daw argyhoeddiad i lawer wrth ddarllen yr Ysgrythur yn onest ac yn ystyrlon. Wrth i rywun arall daflu golau ar y testun, bydd yr ymholwr yn darganfod rhan o'r gwirionedd am Dduw ac amdano'i hun.

Pan na fydd pregethwr ar gael i bregethu, bydd y gynulleidfa leiaf yn medru cynorthwyo'i gilydd i agosáu at Dduw drwy ddarllen ychydig o adnodau a gofyn y cwestiynau sylfaenol hyn. Os bydd rhywun yno a fyddai wedi paratoi drwy ddarllen esboniad, gorau oll, ond mae rhywbeth effeithiol yn y cyd-ddarllen ac yna y trafod. Ceir llawer o lyfrau i gynorthwyo'r grŵp bychan i fwynhau'r fendith o ddarllen y Beibl gyda'i gilydd. Efallai fod y syniad o Ysgol Sul yn ddieithr i lawer heddiw, ond sut bynnag y byddwn yn cyfeirio at y gwaith o fyfyrio ar y Beibl, yr un yw'r cyffro o sylweddoli bod Duw yn siarad drwy'r sgwrsio ac yn argyhoeddi drwy'r cyfan.

Gweddi

Diolch Arglwydd am i ti ysgogi dy bobl dros gyfnod eang o hanes Israel i gofnodi profiadau pobl a dystiodd i ti. Diolch am y sawl a gadwodd y copïau a'u trosglwyddo i ieithoedd byd. Rhyfeddwn fel y bydd darllen a myfyrio ar yr hyn a ysgrifennwyd ganrifoedd yn ôl. Rhyfeddwn fod hyn wedi digwydd mewn ieithoedd dieithr i ni, a diwylliannau mor wahanol i Gymru, ond sy'n dal i gyfareddu'r darllenwr ac yn ffenestri i ni weld rhyfeddod dy ogoniant. Molwn dy enw. Amen.

Ymestyn allan

Gweddi
Arglwydd Iesu, cofiwn am dy gomisiwn i fynd allan a thystio i ti. Wrth i ni fyfyrio ar dy air, dyro arweiniad newydd i ni wireddu dy gomisiwn a byw y ffydd. Amen.

Darlleniad: Mathew 10: 5–15
Rhoi comisiwn i'r deuddeg

Cyflwyniad
Cofnodir gan Mathew, Marc a Luc hanes Iesu yn rhoi comisiwn i'r deuddeg disgybl i fynd at eu cyd-Iddewon er mwyn rhannu'r newyddion bod 'teyrnas nefoedd yn nesáu'. Roedd wedi rhoi awdurdod a grym iddynt i gyflawni yr hyn na allai pobl gyffredin ei wneud, sef iacháu cleifion, cyfodi'r meirw a glanhau'r gwahangleifion. Nododd nad oeddent i dderbyn tâl am eu gwaith, ond byddai hawl ganddynt i dderbyn bwyd. Mathew yn unig sy'n nodi nad oeddent i fynd at y Samariaid na'r cenhedloedd eraill, ond yn benodol at 'ddefaid colledig tŷ Israel', h.y. yr Iddewon.

Yn ddiddorol, nid yw Ioan yn cofnodi'r cyfnod hwn na'r comisiwn a oedd yn sail iddo. Byddai rhai yn dadlau nad amcan Ioan oedd ailadrodd cynnwys yr efengylau eraill, er ei fod wrth bob greddf yn awyddus i'r eglwys fore werthfawrogi comisiwn parhaol Iesu.

Myfyrdod
Bydd cenhadaeth yn rhan o agenda pob eglwys ac enwad gobeithio – yr ymgais i gyflawni comisiwn Iesu yn ein cyfnod a'n cymuned. Yr her i bob eglwys yw chwilio am fodd i gyrraedd 'defaid colledig Israel'. Bu Nick a Margerie Allan yn byw a gweithio yn Sheffield, a disgwyl am arweiniad Duw ar eu cyfer. Gwelodd Nick fod eglwys y Methodistiaid yn cau yn Chwefror 2015 a gwnaeth yr ymholiadau priodol. O fewn chwe mis roeddent yn trefnu i ailagor yr adeilad, wedi addasu blaen y capel i fod yn gaffi, a daeth 200 o bobl ynghyd i agor Eglwys y Ffynnon –

The Well Church. Mae'r enw yn cynnig sawl dehongliad gan gynnwys y ffynnon o ddŵr bywiol Crist a man lle bydd y Meddyg Da yn ein gwella.

Ceir enghraifft debyg yn y Mwmbwls o eglwys yn addasu adeilad a chynnig caffi a siop grefftau yn y gofod lle bu llawr y capel gynt, ac addasu'r galeri drwy osod llawr yno a threfnu'r gofod i fod yn fan addoli amlbwrpas. Yr un syniad oedd ym meddwl cyfeillion Eglwys y Bedyddwyr yn Blaenycwm, Rhondda, gan addasu'r brif fynedfa yn lleoliad hamdden megis caffi er mwyn hyrwyddo lle i groesawu pobl.

Bydd gan bob eglwys syniadau am beth sy'n addas i'w lleoliad a'i hadnoddau; yr hyn sy'n bwysig i bawb ei drafod yw cenhadaeth yr eglwys wrth ymestyn allan i'r gymuned yn enw Iesu.

Gweddi
Arglwydd Iesu, helpa ni i agor y drysau a rhoi modd i sgwrsio gyda'r byd oddi allan i'n cylchoedd arferol. Ynot ti mae gofod gobaith a llwyfan i gymdeithasu. Helpa ni i wneud hynny'n bosibl. Amen.

Pregethu

Gweddi

Arglwydd Dduw, helpa fi i feddwl yn ystod y myfyrdod hwn am bregethwyr y bu i mi eu clywed. Diolch am yr amrywiaeth doniau yn ein pulpudau – rhai yn lleisiau amlwg ac eraill yn bobl dawel a distadl, ond yr un mor bwysig ac effeithiol i ti. Amen.

Darlleniad: Actau 18: 24–28

Cyflwyniad

Pan fyddwn yn ystyried gwaith yr eglwys a nodi bod yr eglwys yn brysur, mae perygl i ni anghofio am briod waith yr eglwys sef addoli a phregethu, gweinidogaethu a chenhadu. Roedd yr Iddewon wedi etifeddu trefn o grefydda oddi wrth eu cyndadau a fyddai'n rhoi pwyslais ar addoli. Ers y cyfnodau cynnar, roeddent yn arfer adrodd salmau a llafarganu deunydd gweddigar. Byddai'r proffwydi yn cyfarch pobl 'yn enw'r Arglwydd' ac yn rhoi materion y dydd yng nghyd-destun natur ac amcan Duw. Onid felly bu'r proffwyd erioed? Gwelid Iesu fel athro teithiol – nid ef oedd y cyntaf ac nid ef oedd yr olaf i gyflawni swyddogaeth felly. Byddai gan y werin ddiddordeb yn eu neges, ac roedd yr offeiriaid a'r werin fel ei gilydd yn 'disgwyl y Meseia'.

Yn Llyfr yr Actau clywn am bregethu'r Apostolion yn cyhoeddi'r gwirionedd am Dduw yn Iesu Grist. Gair pwysig y drafodaeth Feiblaidd yw 'kerugma' a nodir enghreifftiau ohono yn yr Actau. Dangosodd Luc fod Paul yn pregethu hefyd, a gwelir enghraifft amlwg o hynny yn Actau 17, ac yntau yn Athen, wedi codi ei destun o arysgrif ar un o'r allorau wrth ymyl y ffordd 'I'r Duw nid adwaenir'. Bu pregethu yn rhan ganolog o fywyd a thystiolaeth yr Eglwys ar hyd y canrifoedd ac ar draws y traddodiadau enwadol. Erys yr un swyddogaeth heddiw, a bydd Duw o hyd yn annog rhywrai o'r newydd i gyhoeddi ei air i bobloedd daear.

Myfyrdod

Mae gan holl deulu'r ffydd ryw ddawn i'w defnyddio yng ngwaith yr eglwys, ac nid pawb sydd â doniau fel y rhai a welwyd ym mywyd Daniel Rowland, Martin Lloyd Jones a Martin Luther King. Ceir enghreifftiau lu o bregethwyr eneiniedig, a phrin bod modd disgwyl i unrhyw gyfnod gytuno ar y doniau amlycaf a welwyd yn eu gwledydd.

Serch hynny, gall pawb ddefnyddio ei ddawn i siarad, a hynny nid i gynulleidfa ffurfiol, ond dros baned mewn caffi neu ar adeg briodol yn y gweithle neu mewn man hamdden. Bydd y mwyafrif yn medru sôn am dywydd y cyfnod neu newyddion y dydd, a gall pawb rannu rhywbeth o brofiad oedfa neu ddarn a ddarllenwyd am Iesu Grist. Nid gwaith i bobl hyfforddedig yw rhannu profiad a dwyn tystiolaeth ond gellir ei weld fel cyfle i gyfrannu i fwrlwm bywyd bob dydd pawb. Term gafaelgar y Parch. Jack Brown, cyn-lywydd y Bedyddwyr yn Lloegr, oedd 'gossiping the gospel' – 'cloncan am Iesu', ac mae'r reddf i gloncan yn perthyn i'r mwyafrif ohonom.

Gweddi

Diolch Arglwydd am y ddawn i sgwrsio a rhannu gydag eraill brofiadau bywyd a thrafod newyddion y dydd. Helpa ni o'r newydd i rannu gydag eraill beth yw ein profiad ohonot, ac i wneud hynny yn llawen ac anffurfiol. Cofiwn o hyd mai pregeth fwyaf pob un yw ei ffordd o fyw yn y byd. Boed i'm bywyd i fod yn llawn ohonot ti. Amen.

Bywyd yn Senegal

Gweddi

Plygwn Arglwydd ger dy fron yn ceisio gweld y tlawd o'th safbwynt di ac i ddeall ein cyfrifoldeb ni dros eraill heddiw. Helpa ni i ymdawelu wrth ddarllen hanes y wraig o Samaria yn estyn dŵr i Iesu. Amen.

Darlleniad: Ioan 4: 1–42

'Rho i mi beth i'w yfed.' (adnod 7)

Cyflwyniad

Prin y gall trigolion gwledydd gogledd Ewrop ddychmygu beth yw sychder am gyfnod hir, a syched mewn lle nad oes llawer o ddŵr. Yn ôl hanes Jacob roedd angen adeiladu cartref ar ffurf pabell iddynt eu hunain mewn man lle roedd digon o ddŵr. Felly bu hanes dyn erioed. Yn Genesis 26 a Genesis 33, ceir enghreifftiau o densiynau am hawliau pobl wrth nodi anghydfod a chweryl am ddefnydd o'r dŵr prin.

Mewn nifer o wledydd y byd heddiw, yn arbennig yng ngwledydd gogledd a chanolbarth cyfandir yr Affrig, ceir dadlau cyson, ac yn Senegal gwelir enghreifftiau o bobl wledig yn gweithio'n galed i fyw. Rhan o gyfrifoldebau gwragedd y pentref yw cario dŵr o'r ffynnon, fel yn hanes y wraig o Samaria yn Ioan 4. Mae'n waith caled a bydd y gwragedd hyn yn aml yn cario eu plant ar eu cefnau wrth gerdded hefyd. Mae gwaith y bore iddynt yn golygu malu'r miled, sef math o ŷd, a'i gynnig i'r teulu fel brecwast. Cymer y gwaith tuag awr rhwng pastynu'r miled er mwyn ei wneud yn bowdwr, ac yna ei goginio. Cyfrifoldeb arall yw golchi dillad a'u gadael i sychu. Ar ôl y gwaith boreol hwn rhaid mynd i gefnogi'r dynion yn y caeau a chasglu cnau, cyn bwrw iddi gyda'r hwyr i baratoi ar gyfer y bore. Bydd eu bywydau blinedig yn profi tlodi amlwg, heb lawer o addysg na gobaith am wella eu hystad. Mae llywodraeth Senegal yn cynnig addysg am ddim, ond bod angen i'r teuluoedd brynu llyfrau i'r plant.

Myfyrdod

Pwyllgorau lleol sy'n penderfynu yn Senegal beth yw blaenoriaeth eu hanghenion, ac yna byddant yn gofyn i Gymorth Cristnogol am gymorth ariannol. Ceir enghreifftiau diweddar lle bu Cymorth Cristnogol yn talu am fodd i gloddio am ddŵr yn agos i'r pentref, a naill ai gosod ffynnon yno neu roi pwmp dŵr i wneud y gwaith yn llai llafurus. Hefyd byddai Cymorth Cristnogol yn cynnig peiriant i falu'r miled, gan ryddhau'r gwragedd i dreulio mwy o amser gyda'u plant. Cynigir addysg am arddwriaeth a chodi cnydau fel bod y cymunedau yn cael bwyd o ansawdd gwell a hefyd modd i fynd â'r bwyd i'r farchnad. Byddai hyn yn dod ag incwm ychwanegol a modd prynu meddyginiaethau a fyddai'n gwella amgylchiadau bywyd iddynt.

Wrth gefnogi Cymorth Cristnogol, byddwn yn hyrwyddo gobaith mewn cymunedau sy'n cael eu herio gan dlodi ac afiechyd. Ni fyddwn yn gwybod pwy yw'r tlodion hyn, ac ymddiriedwn yng ngwaith y swyddogion sy'n gweithio ar lawr gwlad. Byddwn hefyd yn ufuddhau i eiriau Iesu a'n galwodd i roi i'r sawl a 'syrthiodd ymysg lladron' a'i 'adael yn hanner marw'. Pwy yw y lladron hyn? Ym mhrofiad sawl cymuned, mae cwmnïau masnachol byd-eang yn manteisio ar eu sefyllfaoedd, yn rheibio asedau'r cymunedau, ac yna yn gadael y bobl hyn yn 'hanner marw'. Bydd rhyfel yn achosi dioddefaint rhai, ac afiechydon yn gyfrifol am gyflwr cymunedau tlawd eraill. Pe bai modd i ni edrych ar wynebau'r lladron hyn, tybed a fyddem yn gweld wynebau sy'n hynod debyg i ni?

Gweddi

Cyffeswn Arglwydd ein bod yn manteisio ar fyd sy'n porthi anghyfartaledd ac yn ddi-hid o anghyfiawnder. Bydd dinasyddion y gwledydd cyfoethog yn cau eu llygaid i ddioddefaint gwledydd fel Senegal ac yn cwyno am brisau bwydydd yn eu harfarchnadoedd ysblennydd. Agor ein llygaid o'r newydd i ddeall bod 'pob mab i ti yn frawd i mi, O Dduw'. Amen.

'Y Gair ar waith' – Lesotho

Gweddi
Arglwydd yr eangderau a Duw tragwyddoldeb, addolwn di am gyffwrdd â'n hamgylchiadau a'n hamseroedd, gan ddolennu pobl â'i gilydd. Dyro i ni weld y dolennu fel rhan o'n haddoliad a'n hargyhoeddiadau ysbrydol, ac yn wedd ar ein bywyd eglwysig.

Darlleniad: Mathew 25: 31–46

Cyflwyniad
Pan ymatebodd y Tabernacl yn gadarnhaol i'r gwahoddiad i efeillio gyda'r eglwys Lesotho Evangelical Church (LEC) yn Sefika, roeddem yn ffodus bod Non a Gwenallt Rees yn gyfarwydd â Lesotho ac yn hapus i arwain y prosiect. Maent wedi rhoi pymtheng mlynedd ymdrechgar i ddatblygu'r cyswllt, a hynny ar gost sylweddol iddynt eu hunain. Onibai am eu hymdrech, prin y byddai'r fenter wedi bod mor llwyddiannus. Nid yw'n geiriau o werthfawrogiad yn ddigonol, ond maent yn falch o'r cyfle i roi'r 'Gair ar waith' ac yn trysori'r profiadau cyfoethog a ddaeth i'w rhan.

Elfen bwysig yn y prosiect hwn yw gweld cefnogaeth eglwysi eraill yn rhannu yn y gwaith, a bu Non a Gwenallt yn gwneud cyflwyniadau mewn eglwysi ac ysgolion, a hwythau yn eu tro yn dolennu yn y gwaith ac yn cyfrannu'n gyson yn ariannol i'r fenter. Cydnabyddwn hynny yn llawen ac yn ddiolchgar.

Bydd pawb sydd wedi gwrando ar eu stori ac ymddiddori yn y prosiect yn sylweddoli bod brwdfrydedd eglwysig y cyfeillion yn Sefika wedi bod yn ysbrydoliaeth i ni. Mae'n anodd amgyffred sut mae'r gynulleidfa yno yn cefnogi ei gilydd ac yn gweld llaw Duw ym mhob man a hynny er daioni.

Myfyrdod
Aeth yn ffasiwn i ddweud na ddylai'r eglwysi ymwneud â materion gwleidyddol yn gyffredinol, ac mai gwaith yr eglwys yw canolbwyntio ar

addoliad – yr eglwys oddi fewn i'r adeilad. Gwelir mai un o nodweddion yr eglwys yn gyffredinol yn ystod yr ugeinfed ganrif yw ei bod wedi ymestyn allan a dwyn sylw at anghyfiawnderau byd a sefyll ochr yn ochr â'r gwan a'r gorthrymedig. Daw cyfleoedd eto i nodi enghreifftiau o hyn yn y gyfres bresennol o fyfyrdodau, ond wrth ddathlu llwyddiant cynyddol y prosiect hwn gydag eglwys LEC Sefika yn Lesotho, gwelwyd sut mae angen nawdd gydag addysg, amaethyddiaeth, meddygaeth a bwyd yn dwyn y Gair ar waith mewn mannau pellennig nad ydynt yn cael sylw'r wasg Brydeinig. Pryd y gwelwyd erthygl yn y wasg Brydeinig am argyfyngau Lesotho? Sawl ardal arall yn y Trydydd Byd na wyddom ddim amdanynt sy'n angof o safbwynt gwledydd cyfoethog y gorllewin?

Ai cyd-ddigwyddiad gweinyddol a arweiniodd at ein cyswllt ni gyda Sefika, a digwydd bod i Gwenallt a Non Rees fod yn aeddfed i hyrwyddo'r cyswllt? Neu a welwn law Duw ar waith, a bod pob aelod o'r eglwys angen gofyn sut bydd Duw am ein defnyddio ni yn rhwydwaith gofal ei gynllun tragwyddol ef? Rydym yn holi'n weddigar pwy fydd yn synhwyro y gallent barhau'r gwaith wrth i Gwenallt a Non gydnabod na allant ymrwymo i fod yn weithredol fel arweinwyr yn hir eto. Ar ysgwydd pwy mae llaw Duw yn gorffwys mewn perthynas â'r gwaith hwn? Tybed?

Gweddi

Arglwydd y cenhedloedd oll, diolch am arwain y Tabernacl i berthynas gyda'r eglwys yng nghanol dinas Maseru yn Lesotho. Gwerthfawrogwn y gwaith a wnaed eisoes, a gweddïwn am weld rhywrai yn ysgwyddo'r cyfrifoldeb o fod yn ddolenni ymarferol i'r dyfodol. Amen.

Helpu plant

Gweddi

Nefol Dad, rwy'n troi atat o'r newydd heddiw ac yn gofyn am dy gwmni. Helpa fi i sylweddoli fy mod yn perthyn i'th deulu ac yn cael y fraint o'th alw yn Dad Nefol. Amen.

Darlleniad: Marc 10: 13–16

'Gadewch i'r plant ddod ataf fi.' (adnod 14)

Cyflwyniad

Byddwn yn gyfarwydd â'r darlleniad yn Efengyl Marc sy'n nodi bod Iesu yn hapus i weld plant yn ei ymyl. Byddai sawl diwylliant hyd at yn gymharol ddiweddar yn disgwyl bod teuluoedd yn magu llawer o blant ac, mewn oes heb ddulliau atal cenhedlu, byddai nifer sylweddol o blant ar bob aelwyd. Prin bod llawer o ofid am iechyd y fam, nac am iechyd y plant o ran hynny. Yr un fyddai'r hanes yn y cyfnodau Beiblaidd, a byddai plant yn gyfarwydd â gwaith diflas a chaled, yn bugeilio defaid neu gario manion bethau. Mewn unrhyw ganolfan bentrefol byddai plant yn rhan o brysurdeb a sŵn yr ardal. Ymateb digon cyffredin fyddai i'r pregethwr teithiol gael plant yn casglu o'i gwmpas ac yn hawlio sylw. Pa ryfedd i'r disgyblion eu cymell i fynd i ffwrdd, a hynny'n gwbl ddiseremoni. Roedd cymhelliad Iesu i gadw'r plant wrth ei draed yn nodweddiadol ohono. Torrodd gonfensiwn y cyfnod a derbyn plant yn llawen.

Myfyrdod

Byddwn yn ddigon cyfarwydd â'r dywediad Saesneg 'Children should be seen and not heard'. Bu'r syniad hwn yn gyffredin ar hyd y canrifoedd ac ar led y diwylliannau. Roedd cymaint ohonynt fel nad oedd modd eu cadw dan reolaeth heb orchymyn tawelwch. Profiad cymharol ddiweddar yw gweld aelwydydd gyda darpariaeth i ddiddanu ac addysgu plant. Cyn yr Ail Ryfel Byd, prin oedd gweld llyfrau na theganau addysgol i blant. Byddai'r haenau tlotaf o gymdeithas yn chwilio am rywbeth i'r plant wneud a fyddai'n dod ag incwm i'r aelwyd. Clywsom lawer am bwysigrwydd rhoi addysg i blant yn ystod ail hanner yr ugeinfed ganrif, ond cyn hynny byddai plant yn gweithio dan ddaear neu mewn ffatrioedd, yn y caeau ac yn gwasanaethu.

Prin oedd y ddarpariaeth i blant mewn ysgolion ac eglwysi, a rhoddwyd bri ar waith yr Ysgolion Sul. Dengys ystadegau'r eglwysi fod y niferoedd wedi dechrau gostwng erbyn diwedd y Rhyfel Byd Cyntaf, ac er i'r dirywiad gymryd degawdau i weld Ysgolion Sul yn cau yn llwyr, dyna sydd wedi digwydd bellach.

Erbyn hyn, mae angen i'r eglwysi chwilio am gynlluniau gwahanol i ddal sylw'r ifanc ac i rannu stori a geiriau Iesu mewn ffordd ddeniadol a dychmygus. Diolch i Gyngor Ysgolion Sul Cymru, ceir adnoddau niferus o lyfrau print a deunydd sydd ar gael i'w lawrlwytho yn ddigidol. Bydd ambell eglwys yn trefnu clybiau plant gydag eglwysi eraill, a hynny ar noson waith, gan fod mudiadau seciwlar yn cynnig gweithgareddau i'r plant a'r bobl ifanc na all yr eglwysi gystadlu â hwy. Ceir cymdeithas o glybiau yn Sir Gaerfyrddin yn cydweithio i gyflogi swyddog datblygu ac yn y gogledd yn benodol, mae Eglwys Bresbyteraidd Cymru wedi llwyddo i hyfforddi a chyflogi arweinwyr i'r ifanc i gydweithio gydag eglwysi. Erbyn hyn, ceir darpariaeth gyffelyb mewn ardaloedd eraill yng Nghymru. Dathlwn eu mentergarwch a'u brwdfrydedd. Yn y Tabernacl, ceir cryn lwyddiant dan arweiniad Marc Jon i gynnal dosbarth Beiblaidd i'r ifanc a diolchwn am hynny. Diolchwn am bob ymdrech i rannu geiriau Iesu gyda phlant ac am y modd y bydd eglwysi yn trefnu i'w haelodau fynd yn gyson i ysgolion a chyfrannu i raglen Agor y Llyfr.

Gweddi
Gweddïwn Arglwydd dros lwyddiant pob ymdrech i helpu plant a phobl ifanc i weld bod geiriau Iesu yn berthnasol yn eu twf fel pobl a bod addysg dda o bob math yn bwysig i'w datblygiad. Ysgoga wirfoddolwyr i'r cynllun Agor y Llyfr ym mhob ardal a boed i'r athrawon a'r disgyblion eu croesawu. Amen.

Gweddïo gyda a thros eraill

Gweddi

Nefol Dad, diolch am hanes Dorcas a'r modd y bu i Pedr fod yn gyfrwng yn dy law. Agor y testun hwn i ni heddiw a gweld gobaith yn disodli anobaith a bywyd yn drech na marwolaeth. Amen.

Darlleniad: Actau 9: 36–43

Adfer Dorcas

Cyflwyniad

Bydd hanes rhyfeddol a hyfryd Pedr yn gweddïo gyda chorff marw Dorcas yn hawlio ein sylw wrth feddwl am waith yr eglwys yn gweddïo gydag eraill. Prin bod modd i ni hawlio bod pob deisyfiad o'r fath yn mynd i wireddu yr un canlyniad, ond roedd Luc am gynnwys yr hanes hwn er mwyn dangos bod rhyfeddodau felly yn digwydd yn dilyn gweddi daer. Mae'n siŵr fod yr enghreifftiau o Iesu yn adfer bywyd i'r meirw yn dod i'r cof – merch Jairus, mab y wraig weddw o Nain a Lasarus. Roedd cyfeillion Dorcas wedi rhestru ei rhinweddau hi, fel pe bai hi'n haeddu adferiad. Nid ei gwaith oedd testun gweddi Pedr, ond ymbil ar yr Arglwydd i drugarhau ac i adfer bywyd i'r corff marw.

Nodir nad oedd Pedr wedi gweddïo gyda thystion dynol yn gwrando, ond bod y weddi wedi ei hateb yn gadarnhaol ac iddo gyflwyno Dorcas yn ôl i gwmni ei chyfeillion. Deallwn i'r digwyddiad hwn fod yn fodd i arwain eraill i grediniaeth a hynny yn Jopa.

Myfyrdod

Pan fyddwn yn ystyried beth y gall eglwys ei wneud mewn modd ymarferol, mae perygl i ni chwilio am gynlluniau a rhaglenni gwaith cymhleth a chostus. Bydd pwyllgorau di-ri, trefnu cynllun hyfforddiant a sicrhau llawer o adnoddau priodol. Yn hanes adfer Dorcas, ni fu cynllunio na darparu adnoddau, mwy na rhannu gweddi yn y fan a'r lle. Mae perygl i'r eglwys heddiw dybied bod angen hyfforddiant i weddïo neu gredu bod gweddïo yn waith i bobl benodol. Weithiau bydd gweinidog yn cynnig gweddïo gyda pherson, a'r unigolyn yn teimlo'n anghysurus ac yn dewis peidio. Bydd hyn yn fwy gwir os bydd y person hwnnw yn glaf ac yn ofni bod diwedd ei daith ddaearol ar ddod. Mae rhannu gweddi yn fodd o wahodd Duw i mewn i'r sefyllfa a rhannu baich neu ysgafnhau gofid. Nid yng ngeiriad y weddi mae'r wyrth, ond yn yr ymdeimlad sicr fod Duw wrth law ac yn 'gwrando cri'. Gall pob un weddïo ac nid oes sôn fod Duw yn poeni am gywirdeb gramadeg, beth bynnag yr iaith, ond bod y weddi yn ddidwyll a dealladwy i'r cwmni sy'n gweddïo.

Dyfynnir Tennyson yn dweud '*More things are wrought by prayer than this world dreams of*' yn aml, ond ai dyna gred a phrofiad aelodau'r eglwys? Os meddylir am weddïo fel 'sgwrsio gyda Duw' – yr ymdawelu yn ei bresenoldeb a'r ufuddhau i'w bwrpas – bydd y gwyrthiol yn medru digwydd. Yn hanes Dorcas, roedd ei chorff wedi marw, ond yn hanes pobl eraill efallai y bydd yr ysfa i fyw yn erydu neu bod argyhoeddiad wedi llesgáu. Mae gweddi fel bywhau yr hyn sy'n farwaidd ac adfer yr hyn sydd yn y broses o beidio â bod.

Gweddi

Arglwydd pob gweddi, helpa ni i weddïo'n aml a chofio ein bod wastad yn dy gwmni di. Maddau i ni am droi at bopeth arall heb feddwl bod gennym y modd i adfywio a chryfhau drwy dy wahodd di i mewn i'n sefyllfa. Trugarha wrthym, ti sy'n wrandawr gweddïau, a throi ein nos yn ddydd. Amen.

Bod ar gael

Gweddi

Nefol Dad, cymorth ni yn ein myfyrdod heddiw i ystyried beth sydd gennym yn ein heglwys ac ym mha fodd y gallwn ddefnyddio yr hyn sydd gennym, boed fach, boed fawr, a rhoi'r oll ar allor dy wasanaeth. Amen.

Darlleniad: Luc 11: 5–13

Cyflwyniad

Mewn uned arall, sonnir am waith Eglwys y Bywyd Newydd yn Nottingham sydd wedi datblygu gwaith yr eglwys i fod yn gaffi agored, ac yn croesawu pob ymwelydd sy'n galw heibio. Ar ystad Ysgubor Goch yng Nghaernarfon ceir awydd i fod yn gymorth i drigolion y fro heb ddisgwyl unrhyw beth yn benodol, ond bod Eglwys Bresbyteraidd Noddfa yn cynnig gweithwyr cymdeithasol a hwythau yn eu tro ar gael i wasanaethu trigolion yr ystad. Bu nifer o weithwyr yno yn y gorffennol yn ceisio pontio eglwys a chymdeithas, ac mae'r gweithwyr cyfredol wedi eu hyfforddi i gynnig cyngor i'r trigolion ar sut i lenwi ffurflenni a deall eu hawliau fel dinasyddion. Gwyddom fel y gall tudalennau o ddata edrych mor anodd, ac onibai fod gan y sawl sy'n ceisio eu llenwi ddeall o iaith a thermau ffurflenni felly mae'n hawdd colli hyder a hefyd colli awydd i barhau.

Bydd Canolfan Noddfa yn agored i'r oedrannus a'r ifanc, y sawl sydd mewn gwaith a'r sawl sydd heb waith; nid oes wahaniaeth beth yw iaith na chefndir y bobl sy'n gofyn cymwynas, bydd y gweithwyr yn Noddfa ar gael i'w cynorthwyo.

Eglwys mewn adeilad bychan a di-nod yw Noddfa, ac nid yw'r gynulleidfa yn sylweddol chwaith. Maent yn ceisio cynnal Ysgol Sul ac oedfaon cyson. Ceir cyfarfodydd wythnosol yn ôl y doniau sydd yno, ond eglwys yw hon a'i hwyneb yn edrych am allan, ac yn agored i wasanaethu'r ardal ddifreintiedig sydd o'i chwmpas.

Myfyrdod

Faint o eglwysi yng Nghymru sy'n teimlo eu bod yn wan ac yn aneffeithiol, a heb fawr o hyder yn eu doniau a'u golwg ar ystyried cau? Dyma fyddai edrych yn fewnol ac yn ddiobaith, heb weld y byd sy'n teithio heibio. Bydd gan bob unigolyn brofiadau bywyd y gall rannu gydag eraill, rhai wedi eu dysgu ar ysgol brofiad lawen a llwyddiannus, tra bydd eraill wedi cael profiadau chwerw ac anodd ond wedi gweld haul ar fryn. Yr her i bob eglwys, ble bynnag y bydd, yw gofyn pa sgiliau sydd ganddynt fel teulu neu fel unigolion sy'n bosibl eu cynnig i'r gymuned leol nad yw, o reidrwydd, yn arddel ffydd neu yn gysylltiedig ag unrhyw eglwys. Camp 'yr eglwys ar waith' yw darganfod modd i wneud cyswllt rhyngddi a'r byd tu fas i'r adeilad, ac, mae'n siŵr, gyda'r cylch adnabod naturiol sydd gan aelodau'r eglwys. Nid gwasanaethu'n hunain na phobl debyg i ni yw amcan eglwys ond bod ar gael i'r gymdeithas ehangach. Camp lwyddiannus eglwys Noddfa ar ystad ddifreintiedig Ysgubor Goch yw agor drws a bod ar gael i eraill.

Yn y darlleniad heddiw, ceir bod y sawl sy'n gofyn heb gael ateb ffafriol iawn. Pwy sy'n gofyn rhywbeth gennym ni, ac i ba raddau rydym yn barod i rannu yr hyn sydd gennym? Mae hanes Noddfa yn mynd â'r torthau allan at y newynog ac yn dyheu am weld eraill yn dod, nid yn unig at y bwrdd, ond at Fwrdd y Bywyd.

Gweddi

Diolch Arglwydd am aelodau a gweithwyr dy eglwys yn Noddfa. Boed i'r gymdogaeth sylweddoli dy fod ar waith yn eu plith ac yn estyn o'th fwrdd mewn modd llawer helaethach nag y gallant ddychmygu. Amen.

Rhannu'r Gair gydag eraill

Gweddi
Diolch Arglwydd am y fraint o fedru darllen, ac am y cyfle i ddarllen dy Air yn ein hiaith ein hunain. Yn ein myfyrdod heddiw, diolchwn am waith yr eglwys yn trosglwyddo'r testun Beiblaidd mewn ieithoedd a chyfryngau cyfaddas â gofyn pobl. Helpa ni i fod yn gefnogwyr da ac yn gyflwynwyr effeithiol o'th wirionedd di i eraill. Amen.

Darlleniad: Nehemeia 8: 9–12
'Buont yn sefyll yn eu lle am deirawr yn darllen o lyfr cyfraith yr Arglwydd eu Duw.' (Nehemeia 9: 3)

Cyflwyniad
Rhan o waith amlwg pob eglwys yw tynnu sylw at y Beibl a chyflwyno neges y Beibl i bob llwyth, gwlad ac iaith. Bu Cymru yn ffodus bod yr Ysgrythur wedi cael ei chyfieithu i'r Gymraeg gan fawrion ymroddedig fel William Salesbury a William Morgan, a byddwn yn cofio gwaith y cyfieithwyr a'r esbonwyr hyd at heddiw. Pan ddarllenodd Esra yr Ysgrythur Iddewig i'r genedl a ddychwelodd o Fabilon yn y bumed ganrif cyn Crist, cafwyd effaith chwyldroadol ar y genedl, a cheir llu o hanesion am Air Duw yn dwyn pobl i feddwl o ddifrif am eu bywydau eu hunain, a'u diffyg perthynas gyda Duw. Roedd y genedl wedi colli sylwedd ei hunaniaeth, yn wleidyddol a chrefyddol, ac ar ôl y profiadau trawmatig yn yr Aifft, wrth ddychwelyd i Jerwsalem, roedd angen deffroad ysbrydol arnynt.

Cofir am effaith tystiolaeth Philip ar yr eunuch yn yr anialwch (Actau 8), ac mae pobl fel John Wesley a William Williams, Pantycelyn yn enghreifftiau o bobl a gafodd dröedigaeth neu adnewyddiad ffydd wrth wrando ar bregethu'r Gair. Cred a phrofiad yr eglwys yw bod clywed y Gair yn cael ei ddarllen a'i gyhoeddi yn chwyldroi person fel ei fod yn edrych at Grist a phrofi bywyd newydd.

Myfyrdod

Bydd darllen llenyddiaeth Cymdeithas y Beibl yn sôn am enghreifftiau cyfoes o ddiwygiadau. Pobl a dderbyniodd gopïau o'r Beibl yn eu hiaith ugain mlynedd yn ôl yw trigolion Swaziland, gwlad sy'n gorwedd yn ne-ddwyrain cyfandir yr Affrig ac yn ffinio gyda De'r Affrig a Mozambique. Cenedl fechan yw hon gyda 1.2 miliwn o bobl a 85% yn Gristnogion, a thraean o'r boblogaeth yn ennill llai na phunt y dydd. Mesur o'i harswyd yw bod chwarter ei hoedolion yn byw gyda HIV a bod chwarter y plant o dan 17 oed yn amddifad.

Dyfynnir Albert, gŵr 54 oed a dderbyniodd Feibl yn 2016, yn dweud, 'Rwy'n byw am fod yr Arglwydd gyda mi, a phan ddarllenaf y Beibl hwn bydd fy enaid yn cael ei adnewyddu.' Ar yr un daflen sonnir am greu fidio o hanesion Beiblaidd ar ffurf arwyddo ar gyfer y byddar. Dywedir gan Gymdeithas y Beibl bod hyn yn costio £900 y stori. Efallai y gallai eglwys roi nod iddynt eu hunain i ariannu hyn yng nghorff blwyddyn a'i alw yn 'Air ar waith'.

Mae'r Beibl yn ffynhonnell gobaith iddynt ac apêl Cymdeithas y Beibl yw bod y sawl sy'n berchen ar Feiblau ac yn rhydd i addoli fel y mynnont yn estyn rhodd i gynorthwyo y mentrau hyn sy'n dod â Gair Duw yn fyw i drigolion gwledydd fel Swaziland. Tybed a ydym ni yn darllen y Beibl yn gyson gan ofyn beth mae Duw yn ei ddweud wrthym? Nid mater o ddarllen yn unig ydyw ond agor ein heneidiau ein hunain i wrando ar Dduw yn siarad gyda ni.

Gweddi

Diolch Nefol Dad am Gymdeithas y Beibl a'i gwaith chwyldroadol. Deisyfwn y bydd yn parhau i drosglwyddo'r Efengyl i iaith y gwledydd llai er mwyn iddynt brofi rhyfeddod dy wahoddiad i bobl gredu yn Iesu a'i fyw bob dydd. Amen.

Cymorth Cristnogol – ffoaduriaid

Gweddi

Dduw y gofal rhwydweithiol, deuwn ger dy fron yn ymwybodol o drasiedïau enfawr ein byd. Dyro i ni weld yn gliriach ein cyfle a'n cyfrifoldeb i helpu eraill drwy gefnogi asiantaethau megis Cymorth Cristnogol heddiw. Amen.

Darlleniad: Leficitus 19: 33–34

'Pan fydd estron yn byw gyda thi yn dy wlad, nid wyt i'w gam-drin.' (adnod 33)

Cyflwyniad

Yn y ddwy adnod o'n darlleniad nodir yn gynnar yn hanes Israel bod lletygarwch yn benodol a pharch i grwydriaid yn gyffredinol yn rhan sylfaenol o natur y genedl a'u crefydd. Ailadroddir hyn mewn sawl man arall, ac mae hanes Israel fel pobl yn gosod esiampl deg ar gyfer y tair crefydd sydd a'u gwreiddiau yn yr Hen Destament. Bydd yr Iddew, y Cristion a'r Mwslim yn darllen yr un testun Hebreig ac yn gorfod meddwl am ffyrdd o weithredu'r egwyddor hon yng nghyd-destun eu ffydd. Darn cyfarwydd yn y Testament Newydd yw Iesu'n sôn yn nameg y defaid a'r geifr (Mathew 25) bod gofal dros eraill yn rhan ganolog o DNA y Cristion.

Tybed yng nghyd-destun ffoaduriaid 2017 faint o bobl Ewrop sy'n dadlau yn erbyn cynorthwyo ffoaduriaid mewn unrhyw ffordd, boed drwy gynyddu cyfraniadau'r gwledydd tuag at y gofal penodol dros ffoaduriaid mewn canolfannu mewn gwledydd fel Twrci a'r Aifft ar y naill law, ac agor y drysau i ffoaduriaid gael lloches yng ngwledydd Ewrop ar y llaw arall. Un o gerrig sylfaen y dadleuon dros ymryddhau oddi wrth Ewrop yn y refferendwm yn haf 2016 oedd bod angen gwell rheolaeth ar ffiniau Prydain, ac nad oedd pobl Prydain yn derbyn yr athroniaeth o letygarwch i'r ffoaduriaid hyn.

Myfyrdod

Yn ystod mis Mai, byddwn yn hyrwyddo achos Cymorth Cristnogol drwy fynd allan a chasglu o ddrws i ddrws. Efallai na fyddai swyddogion yr achos dyngarol hwn am dynnu sylw atynt eu hunain, ond at amgylchiadau enbydus y ffoaduriaid ledled y byd, ac yn arbennig y bobl hynny sydd wedi gadael gwledydd fel Syria, Lebanon ac Irac, ac yn chwilio am loches. Mae'r storïau a ddaw o'r canolfannau ffoaduriaid yn erchyll, a'r diffyg bwyd a diod, heb sôn am ofal iechyd ac addysg, yn heriol. Yn ddiweddar tanlinellwyd y ffaith fod llygod Ffrengig yn rhemp mewn rhai o'r canolfannau hyn ac wedi ymosod ar blant tra roeddent yn cysgu. Yr hyn sy'n denu'r llygod yw'r sbwriel sydd yn cael ei adael a neb yn ei glirio. Gofid arall yw bod prinder meddygon sy'n deall iaith y ffoaduriaid yn y canolfannau hyn a hefyd y prinder adnoddau meddygol yno. Pwy sydd yn darparu ar gyfer y gofyn yma ond yr asiantaethau sy'n gweld lleihad yn eu hincwm fel Oxfam, Achub y Plant a Chymorth Cristnogol.

Mae perygl y bydd yr etholiadau lleol a Phrydeinig yn ein broydd yn hawlio sylw'r cyhoedd ambell flwyddyn ac na fydd croeso i gasglwyr Cymorth Cristnogol yn yr wythnos benodol ym mis Mai. Y frawddeg sy'n cael ei rhannu yn llenyddiaeth Cymorth Cristnogol bellach yw ein bod 'yn credu mewn byw cyn marw', ond ceir yr argraff fod poblogaethau Ewrop ac America yn dueddol o ddadlau dros ein hawl ni i fyw a naw wfft i'r sawl sy'n marw mewn gwledydd eraill. Yn ystod yr wythnos ym mis Mai, mae'n bosibl y byddwn yn rhan o sgyrsiau cyffredinol am amgylchiadau economaidd sawl gwlad, ac mae dyfynnu Lefiticus, hen lyfr deddf yr Iddew, a chofio *strap-line* cyfredol Cymorth Cristnogol 'Credwn mewn byw cyn marw' yn gyfrifoldeb i bawb ohonom.

Gweddi

Diolch i ti Arglwydd am roi egwyddor lletygarwch ynghanol dealltwriaeth yr Hebreaid o'u cyfrifoldeb dros ffoaduriaid y gwledydd. Helpa ni i gofio geiriau Iesu wrth sôn am gynorthwyo'r dieithryn, ac i weld hyn fel sylfaen ein hymateb i apêl Cymorth Cristnogol heddiw. Amen.

Ble mae Myanmar?

Gweddi
Nefol Dad, ceisiwn agosáu atat o'r newydd gan ofyn am dy arweiniad a'th fendith heddiw. Trugarha wrthym a ninnau yn ein pryderon personol a heb roi digon o amser i feddwl am drueiniaid tlawd ein byd. Wrth i Wythnos Cymorth Cristnogol ddod yn nes, cofiwn am eu neges yn sôn am bwysigrwydd ansawdd bywyd cyn marwolaeth. Amen.

Darlleniad: Mathew 7: 7–12
'Pa beth bynnag y dymunwch i eraill ei wneud i chwi, gwnewch chwithau felly iddynt hwy; hyn yw'r Gyfraith a'r proffwydi.' (adnod 12)

Cyflwyniad
Mae Cymorth Cristnogol yn gweithio mewn llawer o wledydd ond yn arbennig ar gyfandiroedd Asia ac Africa, gyda pheth gweithgaredd yn America Ladin. Bydd galw heibio i'w gwefan yn ein helpu i weld ystod eang eu gweithgareddau a sylweddoli cymaint o bobl sy'n cael help drwy'r partneriaid sydd gan yr asiantaeth hon. Ceir sawl gwedd i'r gwaith yn lobïo, cefnogi partneriaid sy'n hyrwyddo sefyllfaoedd meddygol ac addysgiadol, amaethyddol a diwydiannol, heb anghofio'r pwyslais cynyddol bwysig ar ddadlau dros achosion lle gwelir anghyfiawnderau cymdeithasol. Bydd yr asiantaeth yn gwario 45% o'i hincwm ar ddatblygiad cymdeithasol mewn tua 40 o wledydd, tra bod 29% yn cael ei wario ar sefyllfaoedd argyfwng yn flynyddol. 15% fydd yn mynd ar weinyddu a chodi arian, tra bod 11% yn cael ei neilltuo ar waith pwysig yr ymgyrchu. Yn anffodus mae incwm yr asiantaethau dyngarol i gyd yn lleihau ac felly mae'n bwysig fod yr eglwysi, sy'n gyfrifol am Cymorth Cristnogol wedi'r cyfan, yn cynyddu eu cefnogaeth yn ariannol ac yn ymuno yn yr ymgyrchoedd i roi cyhoeddusrwydd perthnasol ac i godi arian.

Myfyrdod
Dros y blynyddoedd, bu Cymorth Cristnogol yn daer eu cefnogaeth i herio afiechydon o bob math. Ers canol y 1980au, bu HIV ac AIDS yn hawlio

sylw sylweddol, ac yn ddiweddar clywsom am enghreifftiau newydd o falaria yn dwyn bywydau pobl. Un o'r gwledydd na allwn fod yn sicr o'i lleoliad heb edrych ar fap yw Myanmar, gwlad dlawd sydd i'r dwyrain o Bangladesh ac i'r gogledd-orllewin o Thailand. Yn y wlad honno bydd 40 miliwn yn byw yng nghysgod y clefyd ac yn 2010 cafwyd 650,000 o achosion yn y wlad. Mae rhoi prawf gwaed syml yn rheolaidd yn bwysig i herio'r afiechyd. Ceir hanes y gŵr ifanc Ku Saw Reh fel cynrychiolydd y dioddefwyr ar wefan Cymorth Cristnogol ac yntau yn gwella bellach ar ôl derbyn y driniaeth briodol. Mae cannoedd ar gannoedd o hanesion tebyg ledled yr ardal hon nad yw'r cyfryngau yn rhoi sylw iddynt ond sy'n rhan o'r ddynoliaeth gyfan.

Mae ystadegau afiechydon yn medru bod mor dorfol eu portread fel ein bod yn anghofio bod pob claf yn unigolyn pwysig ac yn greiddiol i'w deulu. Pan fyddwn yn clywed am salwch neu ddamwain ym Mhrydain, prin y byddwn yn gwir ymateb, oni bai ein bod yn adnabod y person dan sylw, ac yn fwy fyth pan fydd yr unigolyn yn berthynas i ni. Mae cân Dafydd Iwan yn dweud, 'Rwy'n frawd i ti a thithau'n frawd i minnau', gan droi'r dieithryn yn berthynas.

Gweddi

Dduw pob gras a thrugaredd, diolch i ti am waith rhyfeddol Cymorth Cristnogol. Ysgoga ni o'r newydd i ddangos mwy o ddiddordeb yn eu gwaith ac i fod yn fwy brwdfrydig ein cefnogaeth i'r asiantaeth hon sy'n gweithredu ar ein rhan. Diolch am gyfraniad amlwg Cymorth Cristnogol yn Myanmar ac mewn llu o wledydd eraill. Amen.

Eglwys Waengoleugoed

Gweddi

Trugarha wrthym Arglwydd wrth feddwl ein bod yn rhoi ein gorau i ti. Cofiwn heddiw am yr oedrannus a'r mwyaf bregus yn ein mysg a derbyn bod modd i ni fod yn gefn iddynt fel rhan o'n gwaith fel aelodau o'th eglwys. Amen.

Darlleniad: Ioan 19: 17–27

'Dyma dy fam di.' (adnod 27)

Cyflwyniad

Un o ddarluniau hyllach yr Efengylau yw'r croeshoelio ar Galfaria. Prin y byddem yn gweld unrhyw beth hardd na dymunol yn yr olygfa. Eto, mae Ioan am i ni sylweddoli bod Iesu yn gweld rhywbeth pwysig yno, sef ei fod yn sefyll wrth ochr Mair mam Iesu, ac wrth iddo wynebu ing yr hoelion yn ei gnawd, ac artaith y croeshoelio, roedd Iesu am weld bod ei fam mewn dwylo diogel, ac yn gofyn i'r disgybl annwyl, sef Ioan ei hun, gymryd gofal o Mair. Mae'n ddarlun o Iesu yn gofalu am y genhedlaeth hŷn yn gyffredinol ac am ei fam yn benodol. O fewn ychydig amser byddai'n ymbil ar ei Dad Nefol i faddau i'r sawl a'i croeshoeliodd, ond ar yr eiliad dan sylw mae'n gofyn i Ioan gymryd cyfrifoldeb newydd a gwahanol.

Myfyrdod

Byddwn yn effro i sawl corff sy'n gwarchod yr henoed mewn cymdeithas, a darperir ystod eang o gartrefi gofal yn enw cynghorau lleol neu yn gartrefi preifat, rhai yn grefyddol eu natur ac eraill yn gwbl seciwlar. Mae Cartref Glyn Nest yng Nghastell Newydd Emlyn yn enghraifft dda o gartref gofal llwyddiannus sydd ag enw da am y gofal rhagorol a geir yno. Gellir enwi cartrefi gofal eraill, a diolchwn amdanynt.

Mater gwahanol yw bod eglwysi yn cynnig gwasanaeth amgenach nag arfer i helpu'r oedrannus, a bydd aelodau lleol yn falch o'r cyfle i wneud cymwynas. Yn y gogledd-ddwyrain, ceir eglwys sy'n gwneud gwaith arbennig, ac er nad yw'n gynulleidfa fawr ac nad yw'n hynod gyfoethog o ran adnoddau bydol, mae'n cyflawni gwaith gwerthfawr mewn sawl ffordd, ond yn arbennig gyda'r ddarpariaeth sydd yno ar gyfer yr henoed.

Ceir ganddynt un rhaglen sy'n cael ei galw yn 'Helpu'n Gilydd'. Nodir ar eu gwefan eu bod yn –

1) rhoi cefnogaeth drwy'r iaith Gymraeg i unrhyw un sydd yn unig neu yn dioddef o salwch hirdymor, e.e. cancr / dementia, clefyd y galon, clefyd yr ysgyfaint a.y.b.;

2) rhoi seibiant a chymorth ymarferol i ofalwyr;

3) gall gwirfoddolwyr sydd wedi derbyn hyfforddiant ymweld yn wythnosol neu bob pythefnos a bod yn glust i wrando, cymorth a help ymarferol fel casglu prescriptions / helpu i ysgrifennu llythyrau a.y.b.;

4) mae gwasanaeth triniaeth tylino dwylo ar yr aelwyd ar gael;

5) gall teulu / ffrindiau neu asiantaethau gyfeirio pobl at yr eglwys;

6) nid oes cost i hyn, ac mae'n agored i bawb sydd yn byw yn Llanelwy, Dinbych, Rhuthun a'r pentrefi o'u hamgylch.

Pa sawl eglwys arall allai gynnig gwasanaeth tebyg i hyn ledled Cymru?

Gweddi

Diolch Arglwydd am gariad Crist tuag at ei fam naturiol, a'r modd mae'n ysbrydoli pobl i barchu'r oedrannus yn ein bro a'n byd. Rhannwn weddi o ddiolchgarwch am waith yr eglwys yn Waengoleugoed a'r goleuni maent yn ei rannu yn dy enw di. Boed i bob eglwys ddarganfod modd i warchod yr oedrannus yn ein mysg a lledu terfynau dy deyrnas. Amen.

Dweud y stori

Gweddi

Nefol Dad, yr hwn a roddaist i ni iaith a geirfa, helpa ni i'w defnyddio i rannu'n stori gydag eraill, pa mor ansicr neu ddihyder bynnag y teimlwn weithiau. Maddau i ni am gloncan am bopeth ond am ein ffydd. Amen.

Darlleniad: Actau 2: 22–36

Cyflwyniad

Bydd llawer yn cyflwyno Llyfr yr Actau fel dogfen i grynhoi bwrlwm yr Eglwys Fore ar dir yr Iddewon ac oddi cartref mewn gwledydd eraill. Ceir yn y gwaith grynodeb o bregethu'r apostolion a nodweddion sylfaenol dysgeidiaeth yr Eglwys. Cyfeirir at waith cenhadol Paul a Phedr, a bod y ddau fel ei gilydd yn arweinwyr cyfartal yng ngwaith yr Eglwys Fore. Fel yn hanes Philip yn Actau Pennod 8, roedd yr apostolion yn hyderus i ddweud eu stori a rhannu eu dealltwriaeth o fywyd Iesu ac o'u profiad hwy o'r Iesu atgyfodedig. Dyna waith a braint yr eglwys ar draws y canrifoedd a'r cyfandiroedd, boed yn genhadaeth yn enw corff o Gristnogion neu yn ddyhead unigolyn. Er bod gan lawer y ddawn i bregethu, mae angen llawer mwy o bobl i ddatblygu'r modd a'r cyfleoedd i sgwrsio am Iesu wrth bobl eraill.

Myfyrdod

Mae'n nodwedd naturiol i bawb 'ddweud ei stori' neu 'adrodd yr hanes'. Mae'n amhosibl peidio â chlywed ambell sgwrs rhwng pobl eraill mewn mannau cyhoeddus, fel eistedd ar fws neu fwyta mewn caffi. Yn amlach na pheidio bydd y sgwrs yn sôn am brofiad personol neu hanes rhywun o fewn cylch ein cydnabod. Bydd y sgyrsiau hyn yn cyflwyno pob math o droeon trwstan bywyd ond anaml y bydd yr hanes yn sôn am brofiad ysbrydol. Bydd rhai yn frwdfrydig yn cynnig sylw ar chwaraeon neu wleidyddiaeth ond prin am fywyd eglwysig. Pa mor aml y byddwn yn rhannu ein profiadau a'n hargyhoeddiadau ysbrydol gydag unrhyw un arall, neu yn sôn am ddigwyddiadau cyffrous yn yr eglwys?

Un o'r prosiectau sy'n gysylltiedig â'r Tabernacl ac yn enghraifft o'r 'Gair ar waith' yw Drama'r Nadolig, pan fydd hyd at 150 o bobl yn cydweithio i gynnig o gwmpas 200 o gyflwyniadau theatrig yn y festri yn dweud stori'r Nadolig. Mae'n gyfle i bawb wneud rhywbeth, ac os nad oes gennym yr hyder i gerdded y rhan ar lwyfan (meim yw'r cyfan, ac nid oes gofyn i'r actorion ddysgu llinellau) gallem fod yn gweithio fel un o'r stiwardiaid am ddiwrnod. Mae'r digwyddiad hwn yn denu dros 4,000 o gynulleidfa'n flynyddol ac yn sicrhau bod plant ysgol yn bennaf, ond y cyhoedd hefyd yn gyfarwydd â'r hanes. Bydd yr actorion yng Nghaerdydd yn cynrychioli llu o eglwysi, a bellach mae cylchoedd eraill yng Nghymru yn trefnu eu cyflwyniadau hwythau gan ddefnyddio sgript sylfaenol y fenter yng Nghaerdydd.

Aeth y dystiolaeth bersonol yn dawedog yng Nghymru, fel pe bai rhannu ein profiadau ysbrydol yn peri cywilydd neu yn weithgarwch anffasiynol. Tybed? Nid dysgu sgript neu actio drama yw'r hyn y gofynnir i ni ei wneud, ond bwrw ati i sôn am ein profiadau ysbrydol yn ein geiriau naturiol ein hunain. Beth amdani?

Gweddi

Arglwydd Iesu, diolch am bob un sy'n enwau cyfarwydd a rannodd eu profiad ohonot, am bob Paul a Phedr, pob pregethwr a chenhadwr. Diolchwn am emynwyr a beirdd y gorffennol, am gerddorion ac artistiaid, dramodwyr ac awduron a ddefnyddiodd eu doniau i ddweud eu stori. Helpa ni i ddweud ein stori ni, ac i helpu eraill i glywed y newyddion da yn ein geiriau ein hunain. Amen.

Cymdeithas Genhadol y Bedyddwyr – Nepal

Gweddi

Ymostyngwn yn dy gwmni, ymdawelwn ger dy fron,
Dyro inni glywed d'eiriau fydd yn llenwi'r funud hon;
Boed i'n horiau a'n holl ddyddiau brofi hedd wrth nofio'r don. Amen.

Darlleniad: Actau 16: 6–10

'Tyrd drosodd i Facedonia, a chymorth ni.' (adnod 9)

Cyflwyniad

Bydd yr adran a ddarllenwyd gennym yn cael ei hadnabod fel y bont a groesodd o Asia i Ewrop. Roedd Paul a Silas wedi ymweld â'r egwysi a sefydlwyd ar y daith genhadol gyntaf, ac yna roedd yr Ysbryd Glân wedi eu harwain i fynd tua'r gorllewin. Dyna oedd argyhoeddiad Paul, ac yna cafodd brofiad rhyfeddol o deimlo Duw yn ei arwain i fynd i Facedonia a chyflawni gwaith Duw yno. Pa mor aml y byddwn yn ymwybodol o anogaeth Duw yn cynnig arweiniad i ni yn bersonol ac fel eglwysi? Breuddwyd gafodd Paul, ond gweledigaeth gafodd Pedr yn Actau 10. Daw llais Duw i ni mewn gwahanol ffurfiau ond byddwn yn gwybod mai ufuddhau sydd raid.

Bydd llawer yn gyfarwydd â'r dweud bod gweinidog yn cael ei alw i'r weinidogaeth, a defnyddir yr un term wrth sôn am wahoddiad eglwys neu ofalaeth i weinidog fod yn arweinydd iddynt. Gall yr un ddelwedd gael ei defnyddio i sawl cyfrifoldeb arall oddi mewn i'r eglwys neu hyd yn oed oddi allan iddi.

Myfyrdod

Byddwn yn ymwybodol o waith 'cenhadon' a bod y bobl sy'n cynnig eu hunain i dderbyn hyfforddiant yn ymwybodol o law Duw yn eu cyfeirio. Defnyddiodd Cymdeithas Genhadol y Bedyddwyr y term 'gweithwyr' yn hytrach na 'chenhadon' ers sawl blwyddyn bellach, gan fod natur y gwaith yn wahanol. Yn y ddeunawfed ganrif a'r bedwaredd ganrif ar bymtheg roedd y cenhadon yn mynd allan i ddysgu'r iaith frodorol ac yna i bregethu a cheisio sefydlu cynulleidfaoedd ac eglwysi. Yn ddiweddarach byddai athrawon yn teimlo'r alwad ac yn mynd i weithio mewn ysgolion, ymaelodi yn yr eglwys leol, ac yn cynnig arweiniad a chefnogaeth i'r eglwys honno. Yn yr un modd, byddai meddygon a nyrsus yn cael eu cymell i wasanaethu. Erbyn hyn, mae gan y 'gweithwyr' amrywiaeth o ddoniau eraill, ac yn sefyllfa teulu'r Douglas, sef y teulu sydd wedi eu dolennu gyda'r Tabernacl a dwsin neu fwy o eglwysi eraill mae Angus yn beiriannydd a'i briod Helen ym myd meddygaeth. Byddant yn cynnig cefnogaeth sylweddol i'r eglwys yn Kathmandu, ond nid ydynt yn 'weinidogion' fel y cyfryw. Mae ganddynt dri phlentyn hefyd, sydd allan yn Nepal. Yn y gorffennol byddai plant yn cael eu gadael mewn ysgolion bonedd, ond nid felly mwyach.

Arferid meddwl am y genhadaeth fel gwasanaeth oes, ond nawr gall y gweithwyr roi tymor byrrach o wasanaeth, weithiau ar ôl ymddeoliad cynnar. Bu Ann Roberts yn gweithio yn Afghanistan am nifer o flynyddoedd, a bu Gillian Davies o Foreia Llanelli yn yr India am gyfnod o fisoedd. Roedd y ddau gyfraniad yn werthfawr. Bydd y Baptist Missionary Society (BMS) yn gwahodd pobl ifanc i roi blwyddyn gap i'r genhadaeth, gan roi cyfnod o hyfforddiant ac efallai 6–9 mis o wasanaeth dramor.

Gweddi

Diolch Arglwydd am i ti alw pobl ar draws y cenedlaethau a'r cyfandiroedd i fod yn dystion ac yn arweinwyr yn dy enw di. Ni allwn ddychmygu profiadau'r bobl hyn, ond credwn iddynt ymateb yn ddidwyll i'th anogaeth a'th arweiniad. Galw bobl o'r newydd i gynnig arweiniad i'th eglwysi – ac os hyn fyddo dy bwrpas Arglwydd, galw ni. Amen.

Ochr yn ochr ag eraill

Gweddi

Ynghanol wythnos lawn Arglwydd, rwy'n ymwybodol mor wag y gall bywyd fod. Er fy mod yn medru fforddio mwy nag un pryd y dydd, rwy'n poeni fy mod i yn chwilio am drysor mwy na'r hyn sydd yn fy mhoced. Helpa fi heddiw 'i weld pob mab i ti yn frawd i mi, O Dduw'. Amen.

Darlleniad: Galatiaid 6: 1–6

'Cariwch feichiau eich gilydd, ac felly fe gyflawnwch Gyfraith Crist.' (adnod 2)

Cyflwyniad

Bydd troi at wefan y BMS neu ddarllen un o gyhoeddiadau'r Gymdeithas Genhadol fel *Engage* yn siŵr o gynnig enghreifftiau o Gristnogion sydd am Fyw y Gair. Mae'n anodd i amryw ohonom a fagwyd mewn eglwysi traddodiadol eu cymeriad, mewn gwlad sefydlog a diogel, ddychmygu byw mewn tlodi enbyd a phrofi bywyd cwbl ddifreintiedig. Pwy all ddychmygu bywyd Seeta, gwraig a ddatblygodd y gwahanglwyf yn 12 oed? Oherwydd y pothellau a'r drewdod yn dod ohonynt, roedd ei chyfoedion yn arbennig yn troi eu cefn arni, ac roedd bywyd yn unig, digyfeiriad ac anobeithiol. Yn ffodus iddi hi, cafodd groeso yn ysbyty Green Pastures yn Pokhara, Nepal, ysbyty a oedd yn canolbwyntio ar helpu gwahangleifion.

Yn Nepal yn 2013–2014 ceid 3,223 o wahangleifion sef 8 allan o bob mil o bobl, ac mae'r ysbyty hon, un a agorwyd 60 mlynedd yn ôl yn 1957, yn cynnig triniaeth a gofal. Bydd yn cefnogi miloedd o bobl gyda phob math o anableddau er mai dim ond 40 o welyau sydd yno gyda hanner rheini yn arbennig ar gyfer gwahangleifion. Yn ystod ei chyfnod yn yr ysbyty y daeth Seeta i adnabod Iesu ac ymroi i'w wasanaethu. Bellach mae hi'n gweithio yn yr ysbyty ac yn annog y cleifion i ailddarganfod eu hunaniaeth a'u hunan-barch. Bydd yn siopa a choginio drostynt, yn trin eu gwallt ac yn arbennig yn gweddïo gyda hwy. Dywedodd Jeanie Herbert, arweinydd gweithgareddau'r BMS yn Nwyrain Asia, bod gwaith holistig

Seeta ym maes gofal iechyd yn 'arddangos cariad Duw wrth helpu gydag anghenion dyddiol y cleifion'.

Myfyrdod

Beth tybed yw ein cyfleoedd ni i ddangos cariad Duw? I ba raddau y byddwn yn chwilio am bobl sydd angen cymorth fel y gallwn wneud rhywbeth cadarnhaol, syml ac eto gwerthfawr yng nghwmni eraill er mwyn dweud eu bod hwythau yn werthfawr? Mae angen i ni ddeall bod ein ffydd yn Iesu yn ein hannog i estyn cwmni, dangos parch a gwasanaethu eraill. Mae'n rhyfedd fel bydd rhai credinwyr yn gweld ffydd yn gyfyngedig i foliant, tra bydd eraill yn ystyried yr agweddau cymdeithasol a dyngarol fel popeth, ac y gellir hepgor oedfa. Onid yw caru Duw yn golygu caru cyd-ddyn?

Roedd Seeta yn gweld pobl debyg iddi hi ei hun ac roedd yn medru uniaethu gyda hwy yn eu hofnau a'u di-werthedd. Bydd y sawl sydd wedi profi unigrwydd yn medru cadw cwmni gyda'r unig, y sawl a brofodd lesgedd neu a fu drwy boen ysgariad neu alar yn medru llwyddo'n fwy effeithiol efallai na'r sawl na chafodd brofiad tebyg. Ynghanol ei thriniaeth y daeth Seeta i adnabod Iesu ac i brofi'r ymdeimlad o'i bresenoldeb yn ei bywyd. Nid oes gan Seeta lawer o fanteision y byd hwn, ond mae'n rhannu'r trysor pennaf sydd ganddi er mwyn eraill. Dyma enghraifft arall o 'Fyw y Gair'.

Gweddi

Rho imi nerth i wneud fy rhan,
   i gario baich fy mrawd,
i weini'n dirion ar y gwan
   a chynorthwyo'r tlawd. Amen.

E.A. Dingley, cyf. Nantlais (Caneuon Ffydd 805)

Bwydo'r dieithriaid

Gweddi

Diolch Arglwydd am ein bwyd bob dydd, ac am wely i orffwys arno. Diolch am deulu sy'n ein cynnal a'n cefnogi ac am ffydd fyw ynot ti. Cofiwn hefyd am y sawl sydd heb aelwyd na chynhaliaeth, heb deulu na chred ynot, a gofynnwn am gael gweld ein cyfle i ddangos trugaredd i'r sawl sy'n ddieithr i ni ac mewn angen nawr. Amen.

Darlleniad: Mathew 15: 32–39

'Yr wyf yn tosturio wrth y dyrfa.' (adnod 32)

Cyflwyniad

Nodwedd o haelioni a chymwynasgarwch yr Iddewon oedd estyn croeso a lluniaeth i ddieithriaid. Ceir nifer o gyfeiriadau yn y Beibl at y disgwyliad hwn. Yn Genesis Pennod 18, gwelir fel y bu i Abraham estyn lletygarwch i ddieithriaid, a bu'r Israeliaid / Iddewon ar hyd y canrifoedd yn gweld gwerth moesol yn yr un modd. Roedd disgwyliad i feddwl am anghenion y teithiwr dieithr a'i gamel, a dywedir y byddai'r croeso yn golygu lladd llo ar y dydd cyntaf, lladd dafad ar yr ail, a lladd cyw ar y trydydd diwrnod. Os byddai'r dieithryn yn dal yno ar y pedwerydd diwrnod, byddai'n cael cynnig ffa. Roedd yna gyfyngiad i'r haelioni hwn.

Yn hanes porthi'r dyrfa, roedd y disgyblion yn effro i angen y dyrfa, ac roedd Iesu yn gweld cyfle i ddangos mwy nag estyn ymborth, ond i ddangos hefyd fel yr oedd ef yn troi'r ychydig yn ddigon. Cofnododd yr efengylwyr y porthi hwn fel modd o rannu natur a gwaith Iesu ar lefel ddyfnach eto fyth.

Myfyrdod

Nodwedd ddifyr a hyfryd yw sylwi ar haelioni pobl yn wyneb argyfwng. Bydd llawer yn ei chael yn hawdd i ymateb yn hael pan ddangosir lluniau o bobl ar eu cythlwng ar adeg o sychder fel sydd ar hyn o bryd yng ngwledydd gogledd-ddwyrain yr Affrig – a da hynny. Bydd apeliadau am ddillad a nwyddau ymolch i Ddwyrain Ewrop yn sicr o ddenu ymateb fel y gwelwn yn rheolaidd.

Serch hynny, bydd pobl yn ei chael yn anoddach i weld angen ar garreg y drws. Pan fydd pobl yn gofyn cardod ar y stryd, bydd canran sylweddol o bobl yn cerdded heibio heb hyd yn oed edrych neu gyfarch y sawl sy'n gofyn. Byddant yn ddall i'r olygfa druenus ac yn hawlio'n rhy hawdd nad yw'r gofyn i ddim ond i gynnal chwant y person am alcohol neu gyffuriau. Nid yw pawb sy'n gofyn cardod yn gaeth i gyffuriau ac mae angen deall cefndir ac angen y trueiniad hyn. Mae'r Rainbow Trust yn enghraifft o ddarparu bwyd ar y stryd a gwêl rhai eglwysi hyn fel llwybr eu haelioni cymdeithasol. Yn ddi-os, mae'n ceisio byw y Gair ac ymateb i ddameg y defaid a'r geifr.

Gweddi

Diolch Arglwydd am bob ymdrech i estyn cefnogaeth a chydymdeimlad i'r trueiniad yn ein byd, yn yr apeliadau am ddillad i Romania neu wrth gefnogi'r Rainbow Trust yng Nghaerdydd. Agor ein llygaid i weld y cyfleoedd i fyw y Gair, ac i gydnabod angen cyd-ddinasyddion y ddaear mewn modd ymarferol a hael. Amen.

Eglwys mewn caffi

Gweddi

Arglwydd Iesu, cofiwn i ti gerdded y priffyrdd a'r caeau gan godi sgwrs gyda phwy bynnag oedd yn y cylch. Maddau i ni am ffurfioli dy eglwys ar draul colli ei chymdeithas. Agor ein meddyliau o'r newydd i feddwl beth yw'r angenrheidiol a'r hanfodol i addoliad a chenhadaeth eglwys. Amen.

Darlleniad: Marc 8: 1–8

Cyflwyniad

Cawsom ein magu i feddwl am eglwys yng nghyd-destun adeilad a lleoliad, gyda threfn y gwasanaeth yn gyfarwydd a chymharol ffurfiol. Bydd yr hanesion am borthi'r tyrfaoedd yn ein hatgoffa am sawl sefyllfa o farbaciwiau gyda llawer o bobl yn derbyn lluniaeth hwylus. Bydd y syniad o gynnig bwyd yn fodd cyfleus i sôn am ymborth nefol. Sut gallwn ddychmygu eglwys heb adeilad, neu yn cyfarfod mewn adeilad nad yw'n debyg i'r adeiladau sydd gennym led-led gwlad a byd? Yn Llyfr yr Actau, roedd Paul yn teithio ac yn debygol o chwilio am synagog Iddewig, gan wybod y byddai'n gyfarwydd â ffurf y gwasanaeth yno ac y byddai'r gynulleidfa yn deall iaith crefydd. Rhan o lwyddiant cenhadaeth Paul oedd ei fod yn ddigon cartrefol i godi testun i draethu arno unrhyw bryd ac mewn unrhyw le. Yn Actau 17 roedd wedi gweld ei gyfle wrth yr allor i'r Duw nad oedd pobl yn ei adnabod. Yn ystod ei ymweliad â Philipi bu'n sefyll ar lan yr afon gan y gwyddai bod rhai yn cyfarfod mewn lle felly er mwyn gweddïo. Dyna sut y daeth o hyd i Lydia, y werthwraig porffor. Pe byddem yn mynd i ddinas ddieithr fel cenhadon heddiw, a heb syniad o ddaearyddiaeth y lle, ble byddem yn debygol o ddod o hyd i bobl y gallem fod yn dechrau sgwrs gyda hwy – siop, maes chwarae i blant, caffi neu ar lan afon? Wrth gwrs fod unrhyw beth yn bosibl, ond byddai man hamdden a chwilio am bobl gydag amser i sgwrsio yn gam synhwyrol. Dyna a wnaeth Paul a'i ffrindiau, gan ddod o hyd i Lydia a nifer o wragedd, a dyna ddechrau sefydliad Eglwys Philipi.

Myfyrdod

Un o'r termau diweddar wrth sôn am genhadaeth yr eglwys yw Eglwys ar y Stryd neu Eglwys Gaffi. Mae nifer o eglwysi fel yr eglwys All Nations yn Cathays, Caerdydd sydd â chaffi yn y brif stryd. Ceir enghraifft arall yn Rhiwbeina, ac ar draws Prydain mae nifer helaeth o gynlluniau lle mae'r oedfa mewn capel yn fwy anffurfiol hyd at fod yn ddi-ffurf, neu bod eglwys yn llogi caffi a chynnal oedfa llai ffurfiol yno. Bu arbrofi yn Nhŷ Ddewi dan arweiniad y Parch. Geraint Michael ac ym Merthyr yn dilyn ymdrechion y Parch. Eryl Williams. Mae'r Eglwys Fethodistaidd yn St Ives yn cynnal oedfa anffurfiol unwaith y mis a gosod seddi'r addoldy yn debycach i gaffi na rhesi eistedd ffurfiol. Ceir adroddiadau am fentro gwahanol yn Ealing, Llundain, Stoke on Trent a Copenhagen yn Denmark i gynnig enghreifftiau o fenter a llwyddiant.

Nodwedd gyson yr ymdrechion hyn yw osgoi ffurfioldeb a threfn, ond yn hytrach pwyso ar ymateb agored wrth sgwrsio am faterion ffydd. Mwy na thebyg y byddai'r mwyafrif ohonom yn ansicr o oedfa mor anffurfiol â hynny, ond beth am ein cyfeillion heb lawer o grefydd nad ydynt yn ymateb i'n cymhellion i ddod i oedfa? A fyddent yn ei gweld yn haws i alw heibio mewn Eglwys Gaffi a phrofi addoliad ystwythach ei drefniadaeth? Mewn mannau felly, bydd yna rywun/rhywrai i arwain y digwyddiad a byddai angen rhywbeth Beiblaidd i'w rannu a cherddoriaeth addoliad mae'n siŵr. Sonnir yn aml am adeiladu maestrefi newydd yng Nghaerdydd, a phe bai y fath gorff â Chyngor Eglwysi Caerdydd yn bodoli, ac i Gyngor y Ddinas gynnig llain o dir i bwrpas codi adeilad ar gyfer addoliad a chenhadaeth y Cristnogion, beth fyddem am ei weld yno? Faint o gydweithio fyddai rhwng yr enwadau ac ai adeilad capelaidd fyddai ein dewis ni, yntau rhywbeth cwbl wahanol? Byddem yn falch o glywed eich sylwadau!

Gweddi

Nefol Dad, yn ein myfyrdod heddiw cyffeswn ein bod yn or-barod i ymddiried yn ein trefniadaeth gyfarwydd a heb feddwl bod hyn yn ddieithr ac anghyffforddus i eraill. Agor ein meddyliau i ddychmygu addasu ein hunain i gyflawni dy gomisiwn i fynd allan i'r byd a rhannu'r newyddion am Iesu gyda'r sawl sy'n anwybodus a diddeall o'r Efengyl. Amen.

Cwmni ar y daith

Gweddi

Arglwydd Iesu, deuwn ger dy fron yn ymwybodol ein bod ar daith yn ein bywyd ac yn diolch am bob un sy'n gwneud y daith yn ddifyr a hyfryd. Gwerthfawrogwn gwmnïaeth ein gilydd ac yn arbennig dy gwmni di. Amen.

Darlleniad: Micha 6: 1–8

'ac ymostwng i rodio'n ostyngedig gyda'th Dduw' (adnod 8)

Cyflwyniad

Delwedd ganolog yn y Beibl yw mynd ar daith, wrth i'r Hen Destament adrodd hanes yr Hebrëwr cynnar yn cerdded gydag Abraham i wlad yr addewid neu fynd gyda Moses o'r Aifft i'r anialwch gan chwilio am 'Wlad yr Addewid'. Pererindod yw bywyd a gwelir sawl enghraifft o'r Salmydd yn dweud bod Duw yn gwmni ar y daith. Cofiwn am Abraham fel cyfaill Duw ac am Enoch a rodiodd yn ei gwmni. Dywed yr emynydd fod 'nos a Duw yn llawer gwell na golau dydd a Duw ymhell'. Ceisiodd y Salmydd gerdded gerbron Duw (Salm 86: 11). Galwodd Iesu ddisgyblion i fod yn gwmni iddo a rhoddodd anogaeth i'r deuddeg a thrigain fynd fesul dau yn eu cenhadaeth (Luc Pennod 10). Roedd Paul yn mynd gydag eraill ar ei deithiau yntau, Barnabas ar y daith gyntaf a Silas yn ddiweddarach yn yr hanes.

Pererindod yw bywyd i bawb ac wrth ddilyn hanes unrhyw berson, cymuned neu genedl, bydd y daith yn mynd o un lle i le arall. Weithiau, fel yr Israeliaid yn yr anialwch, byddant yn troi yn eu hunfan a cholli cyfeiriad. Cofiwn am Dduw yn cynnig golau i'r genedl i'w ddilyn.

Myfyrdod

Bydd llawer yn teimlo'n ofnus wrth fynd i fannau dieithr. Mae yna hyder a chysur mewn cwmnïaeth rhywun arall, yn arbennig cwmni ffrindiau. Cafodd sawl un ymdeimlad o fendith gyda phobl eraill wrth wynebu sefyllfa anodd. Bydd mynd i'r ysbyty neu at y meddyg, mynd i gyfarfod cyhoeddus neu gyngerdd yn daith anodd i rai a bydd cael person cyfeillgar yn gwmni yn helpu. Un o gymwynasau syml ac amlwg un person i berson arall fydd cynnig rhannu'r profiad. Elfen o wasanaeth y Cristion yw rhoi o'i amser i gerdded rhan o'r daith gyda rhywun arall.

Bydd mentro i eglwys ddieithr yn her enfawr, a chymwynas werthfawr y gall unrhyw aelod ei gwneud yw cynnig bod yn gwmni ar y daith a chyflwyno'r cyfaill i gylch ehangach o bobl. Tybed faint ohonom sy'n gyrru i'r addoldy heb unrhyw un arall yn y car? Onid cymwynas â'r amgylchedd fyddai rhannu ceir ac yn arbennig os bydd hynny yn cyrchu rhywrai o'r newydd i'r oedfa neu ddigwyddiad yn y capel? Nodir y teimladau cynnes gafodd y ddau gerddwr ar y ffordd i Emaus pan ymunodd Iesu gyda hwy, ond tybed a fyddai'r ddau wedi dychwelyd i Jerwsalem pe byddai'r naill heb gwmni'r llall? Her i bawb ohonom fyddai ystyried pwy allant gynnig eu hebrwng i'r oedfa. Dywediad cenhadol cyfarwydd yn Saesneg yw dweud 'Each one, bring one', ac mae byw y ffydd yn cynnwys bod yn hebryngwyr ffydd, ac nid yw hynny yn golygu siarad am ffydd o gwbl, dim ond byw yr Efengyl.

Gweddi
Diolchwn Nefol Dad am y sawl a'n hebryngodd i'r oedfa am y tro cyntaf, ac i lawer ohonom roedd y teulu yn gwmni ar ddechrau'r daith. Gwerthfawrogwn esiampl ac anogaeth ein teulu a'n cyfeillion a fu'n ein cymell i gerdded tuag atat. Dyro i ni heddiw yr awydd i gynnig ein hamser i fod yn gwmni i'r unig ar lwybrau bywyd, ac i chwilio am fodd i'w harwain atat. Amen.

Caplaniaeth Ysbyty

Gweddi

Dduw pob gofal a chefnogaeth, diolchwn i ti am y dydd a'i gyfleoedd newydd. Helpa ni i ddarllen y ddameg ac i werthfawrogi dy fod yn gweld y claf ym mhob cymdeithas. Trugarha wrthym yn ein gwendid. Amen.

Darlleniad: Marc 9: 14–29

Iacháu plentyn

Cyflwyniad

Ceir nifer o enghreifftiau lle daw rhywun â chlaf at Iesu a gofyn am ei fendith. Dro arall bydd y claf ei hun yn galw am help neu bod Iesu yn gweld claf ac yn gweithredu mewn trugaredd. Mae'r gwyrthiau iacháu hyn yn dangos fel y bu iddynt adael argraff fawr ar y disgyblion a rannodd yr hanesion ddegawdau yn ddiweddarch. Bydd gan ambell berson y ddawn i ryddhau poen neu ddeall tyndra cyhyrau, ond prin bod unrhyw un ar lwyfan hanes yn medru gwneud yr hyn a wnaeth Iesu.

Bu pobl glaf erioed, ac yn ein dyddiau ni byddwn yn ddiolchgar am feddygon a nyrsys sy'n gweithio mewn ysbytai neu yn y feddygfa leol. Rhyfeddwn hefyd at ddoniau'r sawl sy'n gwneud gwaith ymchwil gan ddarganfod cyffuriau newydd a thriniaethau gwahanol.

Myfyrdod

Ynghanol bwrlwm y byd meddygol, ceir llu o weithwyr pwysig sy'n helpu'r gwasanaeth i ddarparu ar gyfer y claf. Diochwn am y gweinyddwyr, y glanhawyr a'r bobl sy'n cludo cleifion oddi mewn i'r ysbytai. Diolch am yrwyr ambiwlans a'r bobl sydd gyda'r cyntaf i ymateb pan fydd galwad frys. Diolch hefyd am y caplaniaid sydd bellach yn gweithio, yn amlach na pheidio, i'r Awdurdod Iechyd, ond sy'n annibynnol o'r ddarpariaeth feddygol uniongyrchol. Ceisir sicrhau caplaniaid o bob haen enwadol ac maent yn derbyn hyfforddiant i'w cynnal yn y gwaith. Byddant yn gorfod bod yn wrandawyr da, ac yn derbyn ymddiriedaeth lwyr y claf a hynny heb fodd i'w adnabod cynt. Cynhelir oedfaon yn gyson yn y capel neu ystafell benodol ar gyfer addoliad a myfyrdod, a bydd y caplan yn cynnig defosiwn a chymun i'r claf sydd angen hynny.

Fel caplaniaid eraill mewn diwydiant, carchardai a'r lluoedd arfog, bydd y caplan angen doethineb ac adnoddau arbennig i gwrdd â'r sefyllfaoedd hynny. Nid pob gweinidog sy'n gyfaddas â'r gofyn, ac mae'r angen yn sylweddol, yn arbennig os yw'r claf ymhell o'i gartref a'i weinidog yn methu bod yno ar awr y pryder mawr. Dyma weinidogaeth sy'n gwasanaethu eraill yn enw Iesu, drwy gynnig neu gadarnhau ffydd a chalonogi claf beth bynnag ei amgylchiadau.

Gweddi

Diolch Arglwydd am bob caplan ysbyty sy'n medru sôn amdanat yn dyner a chyda dwyster. Nid oes modd i ni wybod beth yw natur y weinidogaeth hon heb ein bod yn dystion iddi, a gweddïwn dros y gwŷr a'r gwragedd sy'n gaplaniaid yn dy enw di ymysg cleifion a staff ein hysbytai. Bugeilia hwy drwy dy Ysbryd. Amen.

Cenhadaeth ar y traeth

Gweddi

Arglwydd y tymhorau oll, diolchwn am yr haf a'r hwyl sy'n brofiad i lawer. Mwynhawn y cyfleoedd i ymlacio, ac wrth ymweld ag ambell draeth diolchwn am y bobl sy'n defnyddio eu hamser rhydd i gynnal cenhadaeth i blant ar y traethau ac sy'n gweld cyfleoedd newydd i sôn am Iesu. Gweddïwn y daw cyfle i ni sôn am Iesu wrth eraill, ac y byddwn yn barod i siarad amdanat yn ddidwyll ac yn agored, pa mor syml bynnag bo ein stori. Amen.

Darlleniad: Actau 16: 11–15

Cyflwyniad

Un o ddarlleniadau hyfryd Llyfr yr Actau yw'r un lle mae Paul yn cyrraedd Philipi ac yn penderfynu mynd i lawr i gyfeiriad yr afon yn y dybiaeth y gallai gyfarfod â phobl yn hamddena. Pwy ddaeth yno ond Lydia a hi oedd y cyntaf o nifer a wrandawodd ar ei dystiolaeth ac a ddaeth yn Gristion. Yn yr un ffordd ceir darlleniadau lle roedd Iesu yn mynd ar ei daith, ac yn cyfarfod â rhywun sy'n galw arno neu yn dal ei sylw. Nid oes cynllun penodol, ond bod y cyfleoedd hyn wedi dod â phobl gydag anghenion penodol, gan gynnig llwyfan i wers neu wyrth. Mae cenhadaeth yr eglwys o hyd yn gofyn am feddwl ymlaen llaw a gweddïo am arweiniad Duw. Un o ryfeddodau stori'r eglwys yn ei chenhadaeth yw bod yr annisgwyl yn digwydd. Ni ddylai unrhyw un dybied bod y cyfan yn dibynnu arno ef neu hi. Yn hanes Philip a'r eunuch (Actau 8), daw cyfle i rannu stori Iesu sy'n arwain at dröedigaeth. Pwy a ŵyr beth fydd y cyfle a ddaw i'n rhan nesaf? Mae gofyn i'r Cristion fod yn barod gyda'i stori am Iesu ac am ei ffydd ei hun!

Myfyrdod

Bydd rhai eglwysi yn teimlo ar eu calon i gynnal gweithgaredd ar y traeth yn ystod yr haf. Mwy na thebyg y gwelodd amryw o'n plith griw o bobl yn denu sylw plant a chynnal gweithgaredd hwyliog a cherddorol. Bydd rhai fel eglwys nid nepell o Benarth yn cynnal sesiwn ar draeth y Barri tra bydd eglwysi eraill yn teithio yn bell ac yn defnyddio gwyliau personol fel amser i hyrwyddo cenhadaeth traeth.

Pa fath o bobl sy'n debygol o wneud hyn a pha fath o gynulleidfa maent yn gobeithio ei denu? Cefais gyfle yn ddiweddar i weld hyn mewn llefydd fel Saundersfoot, Sir Benfro a Benllech, Ynys Môn, a sylwais fod pobl o bob oed yn rhan o'r tîm – boed yn arddegwyr neu yn bobl o oed ymddeol. Byddant yn amrywio o ran eu doniau, rhai yn arwain y canu, eraill yn trefnu gemau, rhai yno fel cefnogwyr hwyliog – pawb yn gweld gwaith ac yn bwrw iddi. Nid oedd y rhai a welais yn broffesiynol neu wedi derbyn hyfforddiant arbennig, dim ond eu bod â ffydd ddidwyll, amser ac ewyllys i ymroi i'r tasgau ac yn barod i fod yn rhan o'r tîm. Nid oes arwydd eu bod yn disgwyl unrhyw beth, ac yn falch i weld plant a phobl ifanc yn mwynhau eu hunain wrth glywed am Iesu fel ffrind plant bach ac yn dweud rhywbeth perthnasol am fywyd. Nid oes disgwyl i'w heglwys hwy weld cynnydd yn nifer y sawl sy'n mynychu, ond dyfalwn fod aelodau'r tîm yn teimlo bendith wrth wneud ac yn dychwelyd adref wedi derbyn llawer yn fwy na'r hyn roeddent wedi ei roi. Wrth i dymor yr haf a chenhadaeth y traethau ddod i ben, diolchwn i Dduw am y bobl hyn, gan weddïo bod y deyrnas yn cynyddu rhywfodd, rhywle, heb ein bod yn mynd i wybod ble mae'r had yn disgyn na pha fesur y cynhaeaf.

Gweddi

Nefol Dad, diolch am bob cenhadaeth, beth bynnag ei chyfrwng, a heddiw dathlwn ymdrechion y bobl sy'n rhoi o'u hamser rhydd i gynnal cenhadaeth ar y traethau. Boed i'r ifanc a ddysgodd rywbeth am Iesu ddymuno clywed mwy, ac y bydd y gân a ddysgwyd ganddynt yn aros yn eu cof a'u calon. Amen.

Bod yn gynhwysol

Gweddi
Plygwn ger dy fron, Arglwydd, yn unigolion ffydd sy'n dymuno gweld mwy o berthyn ynghyd. Agor ein llygaid i weld pob cyfle i adeiladu pontydd ac i greu dolenni mewn cymdeithas. Amen.

Darlleniad: Luc 17: 11–19

Cyflwyniad
Yn nyddiau Iesu, roedd person a ddaliai afiechyd y gwahanglwyf yn debygol o ddioddef am weddill ei oes. Nid oedd modd i feddygaeth y dydd wella'r claf, a byddai'n rhaid i'r gwahangleifion gadw draw oddi wrth eu teuluoedd a gweddill y gymdeithas rhag i'r cyflwr ledu. Yn hanes y 'Deg Gwahanglwyf', sylweddolwn fod y cymunedau bach hyn yn cynnal ei gilydd, beth bynnag eu cenedl. Tra roeddent yn ddeg gwahanglwyf, roedd y naw Iddew a'r un Samariad yn gyd-ddibynnol ar ei gilydd. Cyfeirir at yr afiechyd dros 40 o weithiau yn y Beibl, ac roedd y cyflwr yn gyffredin. Afiechyd Hansen oedd un o'r termau cynnar, ond bellach mae triniaeth briodol ar gyfer y dioddefwyr. Er 1954 ceir Dydd Byd-eang y Gwahanglwyf a gobeithir bod y stigma wedi cilio o'r tir.

Pwyslais yr hanes yn yr Efengylau oedd bod Iesu yn medru iacháu unigolyn, a'i fod hefyd yn iacháu nifer ar yr un pryd. Nodir ufudd-dod y deg ac iddynt gael iachâd, ac mae Luc yn gofyn i ba raddau y bydd pobl yn cydnabod a diolch am y fendith o gael iachâd. Fel meddyg ei hun byddai yn deall rhyfeddod y wyrth ac yn sylweddoli bod gan Iesu allu arallfydol. Yn yr hanesyn am iacháu'r Deg Gwahanglwyf ceir thema bwysig arall, sef portread o'r cynhwysol a'r gwahaniaethol mewn cymdeithas. Unwaith y gwelodd yr Iddewon eu bod yn lân, aethant yn ôl at eu teuluoedd mae'n debyg a chyfrannu i economi teulu a chymuned. Yr unig sylw a wneir am y Samariad oedd mai ef oedd yr unig un a ddychwelodd at Iesu i ddiolch, 'a Samariad oedd ef'. Pwyslais Luc oedd mai'r un nad oedd yn Iddew a ddychwelodd at Iesu. Mwy na thebyg iddo yntau ddychwelyd at ei deulu a'i gymuned hefyd.

Myfyrdod

Mewn ward ysbyty bydd pobl amrywiol eu cefndir yn cael eu trin yn yr un ffordd beth bynnag eu hamgylchiadau, eu galwedigaeth neu eu côd post. Yn ystod y cyfnod y byddant yn y ward, yn amlach na pheidio bydd y cleifion yn dod yn ffrindiau agos, gyda'r naill yn cynorthwyo'r llall. Dychmygwn fod yr un profiad yn digwydd i'r sawl sy'n wynebu sefyllfaoedd anodd ar yr un pryd yn peri iddynt ddod yn ffrindiau, a mwy na thebyg bydd yr amgylchiadau, boed lawen neu drist, yn dal pobl gyda'i gilydd. Unwaith y bydd y sefyllfa yn newid, prin fod y grwpiau hyn yn aros yn un gymuned.

Rhan o her yr eglwys yw creu cymuned o'r newydd a gwasanaethu pobl heb ystyried y ffactorau sy'n gwahaniaethu, ond yn hytrach chwilio am ffyrdd o bontio a dolennu. Dros gyfnod y Nadolig, ac yn arbennig ar ddydd Nadolig, bydd sawl eglwys neu gylch o eglwysi yn agor drysau eu hadeilad ac yn darparu cinio i'r aelodau sy'n unig – beth bynnag y rheswm. Ceir sawl enghraifft o hyn, ac yn eu plith bydd eglwysi yn ardal Trecynon ger Aberdar ac eglwysi yn ardal Blaenycwm, Rhondda yn darparu bwyd i'r bobl a fyddai fel arall yn treulio dydd Nadolig heb gwmni. Byddai'n fuddiol clywed am enghreifftiau eraill o brosiectau tebyg o greu cymuned, hyd yn oed dros dro, sy'n gynhwysol ei hanian.

Tristwch hanesion fel hyn yw mai gweithgaredd un dydd yw hyn i lawer, ac nad yw'r profiad o greu cymuned yn dod yn brofiad parhaol. Wrth gwrs, mae'n werth ei wneud, ac efallai y bydd rhywrai yn darganfod hen ffrindiau yn y gweithgarwch un diwrnod hwn, neu yn creu cyswllt parhaol, rywfodd, ar lefel un i un. Bydd angen gwirfoddolwyr sensitif a phobl i gasglu bwyd o siopau caredig, neu drefnu modd i dalu am y defnyddiau at fwydo a difyrru'r cwmni.

Gweddi

Arglwydd Iesu, diolch am ein derbyn fel ag yr ydym, a gweddïwn y Nadolig hwn y gwelwn gyfle i fod yn fwy cynhwysol a pharotach i 'weld pob mab i ti yn frawd i mi, O Dduw'. Amen.

Pontio'r cenedlaethau

Gweddi
Diolch Arglwydd am brofiad ac argyhoeddiad y Salmydd a ganodd am fyw mewn tŷ o waith dy ddwylo ac am werthfawrogi teulu a fendithiaist. Helpa ni i weld y ffordd ymlaen mewn byd sydd mor wahanol i fyd y Salmydd ac i ddarganfod o'r newydd waith dy law yn ein bywydau. Amen.

Darlleniad: Salm 127

Cyflwyniad
Prin yw'r testunau Beiblaidd sy'n cynnig arweiniad ar natur teulu, mwy na bod yr endid o deulu yn perthyn i fyd Iddewig. Nid oes modd i'r Ysgrythur daflu goleuni ymarferol ar yr heriau cymdeithasol sy'n perthyn i'r oes ddigidol, gyfalafol a thraws ddiwylliannol. Cyfeirir at yr unedau teuluol neu lwythol yn y cyfnodau Beiblaidd, ac mae'n anodd codi o'r cyd-destunau hynny unrhyw beth sy'n fwy na delfrydiaeth y dyddiau yn eu cyfnodau. Cwyd sefyllfaoedd gwahanol ym mhob cyfnod a diwylliant a rhaid i'r eglwysi ddarganfod ffyrdd o fod yn ymarferol ac adeiladol, gan gadw at yr egwyddorion sylfaenol sydd yn nysgeidiaeth Iesu.

Mewn eglwys o bobl oedrannus yn Coalsville, Swydd Caerlŷr, cydnabyddodd yr aelodau na fu ganddynt blentyn mewn oedfaon ers blynyddoedd, ac roedd y darlun yn edrych yn dywyll. Yn agos at eu capel roedd Ysgol yr Holl Saint (All Saints Primary School), a gwahoddwyd plant hynaf yr ysgol gynradd hon i ddod i mewn a rhannu profiadau gyda'r aelodau. Darparwyd diodydd a bisgedi i bawb a threfnu themâu i'r cyfarfodydd hyn gan ddechrau drwy gymharu addysg yng nghyfnod plentyndod y gynulleidfa oedrannus gyda phrofiadau'r plant a oedd rhwng 10 a 12 oed. Cafwyd sesiwn buddiol a threfnwyd cyfarfod eto yn sôn am ddillad y ddau gyfnod, fel bod y ddwy haen o'r un gymuned yn dod i adnabod ei gilydd yn well. Cytunwyd i chwilio am enw i'r gyfeillach hon a chytunwyd ar EAST sef Ebenezer and All Saints Together.

Myfyrdod

Un o nodweddion cymdeithasol ein cyfnod yw gweld teuluoedd yn ymrannu yn dilyn ysgariad rhwng gŵr a gwraig. Beth bynnag fyddo yn llywio'r profiad hwnnw, a sut bynnag y bydd pobl yn ystyried y ffactorau sy'n arwain at y gwahanu, prin bod unrhyw un am ddadlau o blaid y profiad sy'n effeithio ar lawer mwy na'r ddau a fu'n briod. Pan fydd plant yn y canol mae unrhyw ysgariad yn sicr o effeithio arnynt, ac yn yr un modd bydd y teulu estynedig yn gorfod addasu. Mae hyn yn arbennig o wir pan fydd angen cymorth i warchod plant, a'r amgylchiadau yn anodd. Sefyllfa wahanol ond yn codi problemau newydd yw'r adeg y bydd y teulu ifanc wedi symud i ffwrdd i weithio ac nad oes gan y plant gyswllt naturiol gyda'r genhedlaeth sydd wedi ymddeol. Bydd yr henoed yn colli cwmnïaeth eu hwyrion, a'r wyrion hwythau heb afael ar y gwreiddiau y byddent yn eu profi pe bai pawb yn yr un gymdogaeth. Byd felly yw ein byd ni.

Bydd cyfle gan yr eglwys leol, sydd o bosibl heb weithgareddau i'r ifanc yn eu plith, i estyn allan a chynnig cwmnïaeth fel yn hanes clwb EAST yn Coalsville. Nid nod amlycaf y clwb yw ailsefydlu gweithgaredd tebyg i Ysgol Sul, ond yn hytrach hau had cwmnïaeth ac adnabyddiaeth real. Unwaith y daw'r berthynas rhwng y cenedlaethau yn gadarnach, daw pob math o bosibiliadau yn amlwg. Aeth cymaint o ardaloedd yn boblogaeth ddigyswllt, a doluriau unigolyddiaeth yn rhemp.

Gweddi

Diolchwn am deuluoedd sy'n plethu pobl ynghyd ac wedi ymwreiddio mewn cymdeithas sefydlog. Gweddïwn dros y sawl sydd wedi gadael y gymuned ddiogel honno ac yn chwilio am wreiddiau newydd. Boed i brofiad yr henoed a'r ifanc yn Coalsville fod yn symbyliad i eglwysi mewn ardaloedd eraill ddarganfod eu cyfle i wasanaethu cymuned a bod yn dystion Crist ac yn genhadon hedd. Amen.

Anghenion Govan yn Glasgow

Gweddi
Dduw pob daioni, gofynnwn am dy gymorth i werthfawrogi pwysigrwydd cydweithio fel eglwysi er budd cymdogaeth eang, ac y byddwn yn myfyrio ar dy bwrpas di ar ein cyfer o fewn cynllun dy weinidogaeth. Amen.

Darlleniad: 1 Timotheus 5: 1–16

Cyflwyniad
Yn ystod y gyfres hon o fyfyrdodau buom yn sylwi ar weithgareddau lleol i Gaerdydd ynghyd â nodi gweithgareddau tu hwnt i ffiniau ein gwlad. Yn y myfyrdod hwn awn i'r Alban ac aros am ennyd yn Govan, ardal sydd tua dwy filltir a hanner o ganol Glasgow, ar lan afon Clyde, ac yn enwog am adeiladu llongau. Bydd llawer yn meddwl am yr ardal fel un dlawd a difreintiedig. Glasgow yw pedwaredd dinas fwyaf Prydain gyda phoblogaeth o 560,000 tra bod Caerdydd yn ddeuddegfed ar y rhestr gyda 310,000 o boblogaeth. Rhan o bwyslais cadarnhaol y fro yw'r ffaith fod yr eglwysi yn perthyn i Glasgow City Mission sy'n cyflogi nifer o bobl dan arweiniad Grant Campbell. Mae gan y grŵp yma statws elusennol gyda bwrdd o wyth cyfarwyddwr i fugeilio'r gwaith. Mae gan y Bwrdd ystod eang o gynlluniau ac maent yn llwyddo i gydlynu llawer o wasanaethau dros yr henoed, y di-waith, y digartref a'r ifanc.

Mae'r GCM yn bodoli ers 1826 a bu ganddo draddodiad o wasanaeth clodwiw, fel y LCM, sef corff cyfatebol yn Llundain. Ni allwn ond gofyn pa fodd y gallai corff tebyg ddigwydd yng Nghaerdydd, Abertawe, Wrecsam a Chasnewydd. Bu un o ganghennau'r GCM yn canolbwyntio er 1986 ar waith plant meithrin ac mae 40 o blant bach yno ac adran hŷn yn gweithio gydag adran feithrin. Bydd y sefyllfa Gymreig yn awyddus i sôn am eglwysi yn pontio gyda Mudiad Ysgolion Meithrin, ac mae digon o enghreifftiau o hynny ledled y wlad. Byddant yn cynnig pwyslais ar feithrin gwerthoedd teuluol ac yn hyrwyddo sgiliau i fod yn rhieni da.

Rhan arall o'r gwasanaeth yw dangos gofal dros yr henoed a'r di-waith, a hynny mewn canolfannau 'galw heibio' – y 'drop-in centres'. Bydd

130 o bobl yn cael eu bwydo'n ddyddiol yno ac mae'r ganolfan wedi ei hadeiladu yn unswydd at y diben hwn. Mae ar agor rhwng 10.00 y.b. a 10.00 y.h. o ddydd Llun i ddydd Gwener, a hefyd ar agor ar brynhawniau Sadwrn.

Bydd rhannau o'r darlleniad yn anodd i ni i'w hamgyffred ond gwelwn Timotheus yn brwydro i roi trefn ar ei feddwl ac ar ei argymhelliad i'r wedd o ofalu dros eraill. Ceir pwyslais canolog o ofalu dros eraill, a hynny yng nghyd-destun bod yn ddilynwyr i Iesu.

Myfyrdod

Pan fyddwn yn ystyried cyfanswm gwasanaeth yr eglwysi ar draws y flwyddyn, boed fel eglwysi unigol neu fel grwpiau o eglwysi mewn ardal neu ddinas, mae'n anhygoel bod cymaint yn digwydd. Yn ystod y gyfres hon o fyfyrdodau mae gennym destun diolch ac achos i lawenhau. Eto, cymaint mwy y gallai'r eglwysi ei gyflawni pe bai mwy o gydweithio a llai o bwyslais ar gynnal adeiladau a etifeddwyd gan saint ddoe. Oni ddylem ganolbwyntio ar beth y gellir ei wneud gyda phobl heddiw a sut i gynnig arweiniad ar gyfer y dyfodol? Aeth cymaint o'n hadeiladau yn symbol o'n crefydd heb gofio mai cyfrwng yw'r canolfannau hyn i'r eglwys wneud ei gwaith, boed yn addoliad, boed yn wasanaeth i'r gymdeithas.

Yn ystod yr Ail Ryfel Byd bu'r eglwysi yn y cymoedd yn wirioneddol wych yn darparu bwyd i'r anghenus, ac yn yr un modd pan oedd y glowyr ar streic yn y ganrif ddiwethaf bu'r eglwysi yn lloches ac yn gynhaliaeth i gymdogaethau eang. Mae trigolion Aberfan yn dal i gofio'r modd y bu'r eglwysi yn gwasanaethu yn awr eu hangen, a da hynny. Wrth i'n hadeiladau ddirywio nes eu bod yn fwy o feichiau ar sawl cynulleidfa, byddwn am ofyn a oes gan yr eglwysi yng Nghaerdydd ac yng Nghymru weledigaeth ehangach fel y dangoswyd yn Glasgow a Llundain, i nodi ond dwy enghraifft eithriadol. Yn anffodus byddwn yn tybied bod yr adeiladau gennym am byth ac mai ein braint yw eu gwarchod, heb feddwl beth yw ein gwir etifeddiaeth a gwir her yr eglwysi i fyw yr Efengyl.

Gweddi

Nefol Dad, agor ein llygaid i weld y posibiliadau sydd o'n blaen a pha fodd y gallwn ymryddhau o hualau ddoe a meddwl o ddifrif am garu cymydog, pwy bynnag y bo. Amen.

Caplaniaeth ar faes Sioe Frenhinol Cymru

Gweddi
Cofiwn heddiw Arglwydd am amaethwyr ein gwlad a'n byd. Cymorth ni i werthfawrogi eu hamgylchiadau wrth i ni sylweddoli bod y Beibl yn aml yn dy gyffelybu i fugail da. Amen.

Darlleniad: Ioan 10: 1–21

Cyflwyniad
Yn y Beibl ceir llawer o gyfeiriadau at fugeiliaid a'r bywyd amaethyddol, ac er bod sôn am fustych nid oes llawer o gyfeiriadau at fwyta cig eidion na godro gwartheg. Mae'r diwydiant pysgota yn derbyn sylw a cheir cyfeiriadaeth at dyfu ŷd a bwyta bara. Datblygodd amaethyddiaeth wrth i'r Hebrewyr ymsefydlu ac i Jwda ddatblygu fel gwladwriaeth.

Datblygodd y ddelwedd o fugeiliaeth yr eglwys i gyflwyno gofal aelodau dros ei gilydd ac yn 1 Pedr 5 ceir yr anogaeth i 'fugeilio praidd Duw'. Cafodd Esgob Rhufain ffon fugail i'w chario fel delwedd o'r swydd, ac mae'n ffasiynol i sôn am offeiriaid a gweinidogion eglwysi fel bugeiliaid yr eglwys. Beth yw disgwyliadau aelodaeth eglwys o fugeiliaid yr eglwys, ac i ba raddau mae'r eglwys yn dangos gofal dros ei gilydd, a thros y gymdeithas ehangach?

Myfyrdod
Un o nodweddion brawychus ein cyfnod yw clywed am nifer gynyddol o ffermwyr yn dewis hunanladdiad yn wyneb heriau y bywyd amaethyddol. Bu'r gofid hwn yn bryder i'r Undebau Amaethyddol yn gymaint ag i bob corff cysylltiol arall. Nodir bod mwy nag un amaethwr yr wythnos yn cyflawni hunanladdiad yn y DU. Mae'r gwaith yn medru bod yn unig gyda llawer o ansicrwydd ariannol yn wyneb y cyfnewidiadau sydd i'r diwydiant. Mae prisiau tir, anifeiliaid a pheiriannau amaethyddol mor uchel fel bod y fferm deuluol a fu'n llwyddiannus yn ystod yr ugeinfed ganrif wedi ildio'i lle i raddau helaeth i unedau mwy gyda'r ychydig ffermwyr sydd ar ôl yn y diwydiant yn fusnesau enfawr.

Ynghanol y digwyddiadau hyn, mae'r eglwys yn chwilio am ei chyfle i ddangos cefnogaeth a dealltwriaeth ymarferol i amaethwyr yn unigol ac i'r diwydiant yn gyffredinol. Daeth sawl cyfundrefn enwadol ynghyd i gefnogi caplaniaeth yn y Sioe Frenhinol yn Llanelwedd, ac mae 15 caplan yn cydweithio i gynnal y gwasanaeth. Yn ystod yr wythnos bydd saith caplan ar y maes, gyda dau yn eu pabell a phump allan ar y maes. Cynhelir dwy egwyl ddefosiynol bob dydd, gan gynnig cyfle i amaethwyr sydd mewn sefyllfa fregus i drafod eu hamgylchiadau. Ceir presenoldeb caplaniaid ar faes y sioe mewn digwyddiadau eraill gydol y flwyddyn a chynigir gweindogaeth hefyd yn y siroedd. Anogir eglwysi i gynnal y diwydiant hwn yn eu gweddïau yn gyson, ac i'r eglwysi sy'n gweithio mewn ardaloedd gwledig fod yn effro i ofidiau amaethyddiaeth yn eu hardaloedd.

Gweddi

Duw y Bugail da, cyflwynwn i ti amaethwyr ein gwlad, gan ddyheu am weld y bydd eu diwydiant yn llwyddo i ddwyn tir gwastad ac economi gyson. Diolch am eu gwaith yn cynhyrchu bwyd i drigolion ein broydd ac am ddangos gofal dros dirwedd ein gwlad. Amen.

'Byd sy'n casáu'

Gweddi

Nefol Dad, deuwn unwaith eto i geisio dy gwmni a gofyn am dy help. Gwyddom am y brwydrau parhaus y bydd pobl yn eu cael yn wynebu erledigaeth ac am y sawl sy'n cael eu lladd oherwydd iddynt ddatgan eu cred yn Iesu. Gweddïwn am dy arweiniad yn y myfyrdod hwn i wynebu byd sy'n casáu. Amen.

Darlleniad: Ioan 15: 18–26

Cyflwyniad

Dau brif brofiad cymaint o bobl yw cariad a chasineb. Bydd cariad yn hoffter o brofiadau, lleoliadau a phobl, tra bydd casineb yn peri i ni wrthod pethau a phobl. Yn ddifyr, bydd rhai yn casáu yr hyn y bydd eraill yn ei garu, a da o beth nad ydym yn ffoli ar yr un pethau. Rydym oll yn unigolion ac yn aml yr hyn sy'n ein gwneud yn unigolion sydd yn achosi'r amrywiadau hyn.

Gallwn ddweud yn anhunanol ein bod yn casáu anghyfiawnder a thrais, ond bydd hunanoldeb yn llywodraethu ein hymateb hefyd. Roedd Jacob wedi cael ei gyflyru gan ei fam i gymryd ei gyfle i ddwyn etifeddiaeth fraint ei frawd Esau. Pan sylweddolodd Esau beth oedd wedi digwydd dywedir yn Genesis 27: 41 bod Esau yn casáu ei frawd. Gall eiddigedd a hunanoldeb ein harwain i gasáu, tra bod ofn ac arswyd rhag rhywun arall yn cyflyru yr un ymateb. Beth am ystyried beth fyddwn yn ei gasáu a pham?

Dywed Iesu wrth ei ddisgyblion y byddai pobl yn eu casáu am iddynt gredu ynddo, ac fe ŵyr yr Eglwys ar hyd y canrifoedd beth yw casineb y byd. Bu erlid a phoenydio ar Gristnogion mewn cynifer o wledydd a diwylliannau. Yn ôl cymdeithas y Drysau Agored / Open Doors, dywedir bod Cristnogion yn dioddef graddau o erledigaeth hyd at farwolaeth mewn hanner cant o wledydd ar hyn o bryd.

Myfyrdod

Wrth ddarllen llenyddiaeth Drysau Agored / Open Doors sylweddolwn cymaint o bobl o bob oed a haenau cymdeithasol sy'n dioddef erledigaeth. Y gwledydd mwyaf eithafol yw Gogledd Korea a Somalia, ac yn Afghanistan mae'n anghyfreithlon i unrhyw un fod yn unrhyw beth ond Mwslim. Ceir amcangyfrif bod 700 o ferched yn cael eu herwgipio yn y wlad bob blwyddyn a'u gorfodi i briodi dynion Mwslemaidd. Mae geiriau Iesu i'w ddisgyblion yn Ioan 15 yn cael eu gwireddu hyd yn oed nawr.

Anogaeth Drysau Agored / Open Doors yw bod yr eglwys yn gweddïo dros a chyda'r dioddefwyr hyn am nerth Duw i wynebu'r artaith, ac i geisio bod hyd yn oed Kim Jong-un o Ogledd Korea yn profi troedigaeth ysbrydol. Ni ellir ennill person drwy ei gasáu, dim ond drwy ei garu fel brawd.

Yn Ioan 16, mae Iesu yn dweud wrth ei ddisgyblion ei fod wedi ennill y byd, ac na all y byd aros yn gas. Nod Duw yw ennill y byd i Grist, a dyna her yr eglwys. Bydd yr eglwys yn chwilio am ffyrdd i herio anghyfiawnder a thrais a gwyddom am waith gwerthfawr Cristnogion yn Erbyn Poenydio. Iesu ei hun ddysgodd 'Carwch eich gilydd fel y cerais i chwi.'

Gweddi

Diolch Iesu am bob tro rwyt wedi ein helpu i ddeall casineb y byd fel her i'w orchfygu. Gweddïwn dros dy bobl sy'n dioddef erledigaeth a chasineb oherwydd iddynt ddatgan eu ffydd ynot. Gweddïwn y bydd dy Ysbryd yn drech na phob Kim Jong-un yn holl wledydd y byd. Amen.

Gweithredu o blaid y gwan

Gweddi

Nefol Dad, gwyddom i ti ein galw i'th addoli di ac i wasanaethu ein cyd-ddyn. Byddwn yn aml yn clywed griddfannau'r byd, heb wastad ymdeimlo â chri yr anghenus yn ein hardaloedd gartref. Boed i ni heddiw weld y ffordd ymlaen i rannu dy gariad ac i fyw yr Efengyl yn ein cymunedau. Amen.

Darlleniad: Salm 68: 1–10

Cyflwyniad

Mae'r salm sy'n destun ein myfyrdod heddiw yn nodweddiadol o lawer o'r salmau, ac ynddi sawl cyffyrddiad o addoliad yr Hebrewyr, yn hiraethu am ddyddiau gwell ac yn ymroi i addoli Duw. Nodir ynddi hefyd y pwyslais parhaol fod Duw yn ymgeleddu'r difreintiedig ac yn darparu ar eu cyfer. Un o nodweddion y grefydd Iddewig yw estyn croeso i'r ymwelydd a'r dieithryn, ac i fod yn bobl y 'drws agored'.

Gwelir mwy o eglwysi yn newid cynllun eu hadeilad, neu efallai bydd eglwysi newydd yn fwriadol geisio adeilad nad yw'n gapel ar ffurf awditoriwm, lle gall llawer o bobl eistedd yn rhoi sylw i'r man canolog yn y blaen, yr hyn y meddyliwn amdano fel puplud. Yn hytrach ceir ardaloedd amrywiol yn yr adeilad, y gellir eu haddasu i unrhyw bwrpas, fel bod modd troi caffi yn gapel, neu ardal chwarae yn fan gweithgareddau crefft i bobl hŷn.

Enghraifft o hyn yw'r gynulleidfa Fedyddiedig sy'n cwrdd yn Stryd Pentyrch, Caerdydd sy'n ceisio datblygu ei hun fel eglwys gaffi. Eglwys Fedyddiedig arall sy'n ceisio datblygu yr un syniad, ond nid mewn capel traddodiadol, yw'r gynulleidfa sy'n galw ei hun yn New Life Baptist Church yn Nottingham. Os byddwch am weld lluniau a darllen yn helaethach, yna ymwelwch â www.renewwellbeing.org.uk. Maent wedi sefydlu adran o fywyd yr eglwys sy'n cael ei galw yn 'Renew Wellbeing' ac yn chwilio am ffyrdd i fod yn bopeth ond eglwys draddodiadol. Un o'u brawddegau yw dweud 'Mae'n iawn i beidio bod yn iawn'. Ceir ffocws arbennig ar salwch meddwl yno, er eu bod yn reddfol agored i bob ymwelydd.

Myfyrdod

Problem i sawl eglwys yng Nghymru yw ceisio bod yn bopeth i bawb, ac mewn perygl o fod yn ddim i neb. Rhan o ddatganiad yr eglwys yw'r weledigaeth eangfrydig sy'n dweud ei bod yn hollgynhwysol ac yn ddiffiniau. Mewn ardaloedd poblog, ceir amrywiaeth o eglwysi o ran eu haddoliad a'u pwyslais. Bydd yna amrywiad rhwng eglwysi litwrgiaidd fel yr Eglwys Gatholig a'r Eglwys Anglicanaidd a'r eglwysi anghydffurfiol. Bydd eglwysi yn amrywio yn eu sefyllfaoedd daearyddol, eu doniau cynhenid a'r angen lleol. Prin y gall y mwyafrif o eglwysi yng Nghymru fod fel eglwys y Bywyd Newydd yn Nottingham. Eto, yn y myfyrdod hwn, rhaid i ni ofyn ym mha fodd mae'r eglwys leol yn cynnig unrhyw beth i'r gymdeithas leol sydd yn cerdded y stryd o flaen yr adeilad. Yr hen gyngor doeth i'r gwas fferm oedd yn gofyn i'w feistr ble roedd i ddechrau codi cerrig yn y cae oedd bod angen iddo ddechrau wrth ei draed. Beth felly yw angen y gymdeithas sydd 'wrth ein traed', ac ym mha fodd y byddwn am ei gwasanaethu?

Gweddi

Arglwydd, byddwn yn edrych o'n cwmpas yn aml, heb weld y byd real o'n cwmpas. Agor ein llygaid i weld yr hyn rwyt ti yn ei weld, y bobl sydd mewn angen, a gofyn pa fodd y gallwn fod yn gyfryngau yn dy law i'w parchu a'u gwasanaethu. Amen.

Economi

Gweddi
Dduw pob trugaredd, gofynnwn am dy fendith heddiw wrth i ni ystyried ein hamgylchiadau byw yng nghyd-destun economi a chyflogaeth byd-eang. Maddau i ni ein plwyfoldeb cyfyng heb feddwl am ganlyniad ein deisyfiadau hunanol. Amen.

Darlleniad: Mathew 20: 1–16

Cyflwyniad
Prin yw'r cyfeiriadau Beiblaidd at fasnach a diwydiant, a pha ddisgwyl? Mae'r cyfnod hanesyddol yn y Beibl yn ymestyn dros bymtheng mil o flynyddoedd rhwng Moses a diwedd y ganrif gyntaf. Maent hefyd yn gyfyngedig i fyd a bywyd mewn gwledydd penodol yn y Dwyrain Canol lle roedd y prif ddiwydiant yn ddibynnol ar amaeth a physgota. Eto, ceir mân gyfeiriadau at fân ddiwydiannau yn rhai o drefi Asia Leiaf lle ceir trin metalau ac roedd Joseff yn saer coed onid oedd. Cyfeiriodd Jeremeia at dŷ'r crochennydd ac roedd yr Eifftwyr wedi datblygu'r modd i wneud blociau adeiladu allan o glai a gwellt. Bydd haneswyr yn medru olrhain datblygiad dawn y crefftwyr ar hyd y canrifoedd, a bydd adeiladu'r pyramidiau yn yr Aifft yn rhoi cefndir dramatig i greadigrwydd dyn.

Erbyn heddiw, yn ein hoes dechnolegol ddigidol ni, mae'n amhosibl i ni feddwl am fywyd heb yr adnoddau sydd o'n cwmpas. Defnyddir olew i greu ystod eang o adnoddau, ac mae trydan ar gael ar gyffyrddiad botwm. Bydd addysg a gofal meddygol yn adnodd hawdd ac ni ellir gwerthfawrogi cymdogaethau lle ceir tlodi neu ddiffyg hawliau dynol. Eto, mewn nifer o wledydd, mae'r darluniau a ddaw atom yn amhosibl i'w deall na'u derbyn. Mae'r darlun byd-eang yn ormod o gynfas i lawer ddychmygu, a hynny'n sicr yng nghyd-destun masnach a thlodi. Bydd trigolion Cymru a gweddill Ewrop yn gweld bod cwmnïau wedi cau ac wedi ail-osod eu ffatrioedd yn y Dwyrain Pell. Hawdd deall y cwmnïau hyn yn symud i ardaloedd lle gellir chwarteru cost cyflogi gweithwyr rhatach. Bydd diweithdra yn dilyn, ac mae ardaloedd o Brydain yn gorfod ymdopi gyda chynnydd yn nifer y sawl sydd heb waith.

Sut gall y mwyafrif ohonom ddeall goblygiadau economi byd-eang a'r polisiau gwleidyddol sy'n cael eu hyrwyddo gan yr asgell dde wleidyddol fel y gwelwyd yn ddiweddar yn yr Unol Daleithiau a Ffrainc, yn ceisio amddiffyn eu cyflogaeth a'u diwydiannau eu hunain heb boeni am y darlun lletach?

Myfyrdod

Ar un wedd, mae Ghana yn wlad a fu'n gymharol gyfoethog yng nghyddestun economïau gwledydd eraill ar gyfandir yr Affrig. Yno, roedd ffermwr tomato o'r enw Kofi Eliasa yn gwneud bywoliaeth deg, ond erbyn hyn mae'n crafu incwm annigonol drwy dorri cerrig mewn chwarel. Mae'n ennill llai na doler y dydd. Gorlifwyd ei wlad gan gynnyrch rhad o Ewrop fel nad oedd yn medru gwerthu ei domatos. Roedd yn rhaid i Ghana dderbyn bod cynnyrch rhad yn dod i mewn i'r wlad fel rhan o'r fargen am fenthyciadau o'r IMF a Banc y Byd. Byddai Kofi Eliasa yn cydymdeimlo gyda chefnogwyr Donald Trump a Marine Le Pen heb anghofio pobl a arferai fyw yn ardaloedd diwydiannol Prydain a bleidleisiodd dros UKIP.

Byddwn yn deall a gwerthfawrogi fel y bydd Cymorth Cristnogol ar flaen y gad yn wyneb trychinebau neu argyfyngau megis rhyfel a chorwyntoedd. Gwaith anoddach a llai amlwg yw lobïo llywodraethau sy'n hyrwyddo polisïau gwleidyddol a fydd yn achosi corwyntoedd economaidd ar draws y byd. Amcan polisïau economaidd yw creu'r amgylchiadau i wella incwm lleol a chreu cyfoeth. Rhan o ethos Cymorth Cristnogol yw dangos bod cynyddu cyfoeth rhai yn achosi tlodi enbyd i eraill. Mae masnach byd-eang yn werth $10 miliwn y funud, tra bod y gwledydd tlawd ond yn cael 0.4% o hyn, sy'n ganran llai na hanner beth roeddent yn ei dderbyn yn 1980. Dywedir bod pob buwch yn Ewrop yn cael nawdd o $800 y flwyddyn tra bod cyfartaledd cyflog yn Ethiopia yn $100 y flwyddyn. Tra bod Prydain a'r Undeb Ewropeaidd yn trafod goblygiadau Brexit, pwy fydd yn poeni am Kofi Eliasa yn torri cerrig a mudiad eithafol gwleidyddol /grefyddol yn galw arno ef a'i debyg i godi arfau?

Gweddi

Trugarha wrthym, Arglwydd, yn ein musgrellni ysbrydol. Weithiau, byddwn yn cuddio mewn crefydd gyfforddus heb weld y darlun llawnach o gysylltu ein cyfoeth ni gyda chyd-destun tlodi eraill. Gwyddom dy fod yn ymwybodol o ing y cymunedau tlawd yn Ghana a mannau eraill ac yn estyn cymorth i Kofi Eliasa a'i debyg. Boed i wleidyddion byd weld y darlun lletach a pheidio cynnal y dadleuon hunanol. Amen.

Banc Bwyd

Gweddi

Plygwn o'th flaen, Arglwydd, yn ein myfyrdod, gan ddiolch am y bwyd sydd ar ein bwrdd bob dydd. Byddwn yn medru tyfu neu brynu bwydydd iach a blasus gan wybod bod y dewis sydd gennym yn eang. Helpa ni i feddwl heddiw am y sawl sydd heb yr incwm priodol i gwrdd â'u holl gostau ac sy'n gorfod dewis rhwng talu biliau neu brynu bwyd i'r teulu. Amen.

Darlleniad: Genesis 41: 37–49

Cyflwyniad

Bydd hanes Joseff yn gyfarwydd i bawb, ac yntau wedi ei werthu fel caethwas i'r Aifft gan ei frodyr cenfigennus. Cododd ei statws o fod yn garcharor i fod yn brif weinidog yr Aifft, a hynny am fod ganddo'r ddawn i ddehongli breuddwydion a threfnu'n dda. Ar ddechrau pennod 41 cofnodir breuddwydion Pharo am y saith buwch denau yn bwyta'r saith buwch dew, a'r saith dywysen denau yn llyncu'r saith dywysen dew. Dehonglodd Joseff y breuddwydion i ragweld saith blwyddyn ffyniannus ac yna saith mlynedd heb gnydau, a bod angen darparu yn y cyfnod o lewyrch ar gyfer y cyfnod o newyn. Cafodd Joseff y gwaith gan Pharo o drefnu storio bwydydd yn y saith blwyddyn dda ar gyfer y saith mlynedd wael. Yn ddiweddarach yn yr hanes daeth brodyr Joseff o Ganaan i chwilio am fwyd, ac mae'r hanes yn gorffen gyda chymod rhwng y teulu cyfan.

Myfyrdod

Bydd pob teulu doeth yn cynilo mewn cyfnod o ddigonedd er mwyn cynnal eu hunain mewn cyfnod o brinder. Bydd rhai, fel actorion neu'r sawl sydd heb waith cyson, yn gorfod dysgu'r egwyddorion sylfaenol hyn. Beth am y bobl sydd heb ddigon yn y lle cyntaf, ac yn ôl yr hen air yn 'dal llygoden a'i bwyta'? Yn yr un modd, mewn gwledydd lle ceir sychder mawr am sawl blwyddyn, fel yng ngogledd cyfandir yr Affrig, nid oes economi diogel i sicrhau unrhyw gynilo, ac maent yn aml yn bwyta'r tatws had heb syniad beth i'w blannu ar gyfer y tymor nesaf. Daw enwau gwledydd fel Eritrea ac Ethiopia yn sydyn i'r cof o argyfyngau'r gorffennol.

Yr un math o ing a ddaw yn brofiad i'r teuluoedd ym Mhrydain sydd yn aml yn gweithio, fel nad ydynt yn medru hawlio nawdd cymdeithasol, ond heb ennill digon i dalu costau sylfaenol bywyd ac yn gorfod gwneud dewisiadau anodd yn rheolaidd. Nodwedd gyfarwydd ym Mhrydain bellach yw'r Banciau Bwyd, a bu'r eglwysi ar flaen y gad yn casglu bwydydd sych neu mewn tuniau. Bydd y teuluoedd tlawd hyn yn cael talebau gan weithwyr cymdeithasol neu ganolfannau meddygol sy'n eu galluogi i gasglu bagied o nwyddau cyfwerth â thri diwrnod o fwyd i'w helpu ar eu taith. Prin bod hyn yn ddelfrydol, ond y mae'n cwrdd â gofynion y dydd. Dyma enghraifft o eglwys ar waith. Cofnodwyd bod 582.1 kg o fwyd wedi ei gasglu yn y Tabernacl yn ystod 2016. Tybed sawl tun o gawl neu basta, pecynnau siwgr neu focsys o rawnfwyd sydd wedi ei gludo o'r capel i'r ganolfan? Diolch i Gwyn ac Eirlys am gydlynu'r gwaith. Gall pawb gynorthwyo drwy brynu rhywbeth ychwanegol wrth siopa, a'i adael yn y capel. Nid pawb sydd yn medru bod yn y festri ar brynhawn Sul yn gweini bwyd i'r digartref, ond bydd prynu eitem ar gyfer y gwasanaeth hwn yn bosibl i bawb. Gallwn ddyfynnu geiriau Iesu eto o ddameg y Defaid a'r Geifr (Mathew 25), 'Yn gymaint ag ichwi ei wneud i un o'r lleiaf o'r rhain, fy nghymrodyr, i mi y gwnaethoch.'

Gweddi
Trugarha wrthyf, Arglwydd, am boeni gormod am ymborth fy mwrdd i, heb feddwl am yr hyn sydd ar fwrdd y sawl sydd heb fodd i gynllunio bwydlen iach i'w teuluoedd. Diolchwn heddiw am y cyfeillion sy'n cydlynu cynllun y Banciau Bwyd, ac yn effro i'w rannu'n deg gyda'r anghenus yn ein broydd. Agor fy llygaid i weld y cyfle ac i weithredu gyda llu o gymunedau ffydd eraill a mudiadau dyngarol ledled Caerdydd, ac ar draws y byd. Amen.

Ffydd mewn Chwaraeon

Gweddi

Ymdawelwn Arglwydd o'th flaen a gofyn am dy arweiniad a'th fendith wrth ddilyn yr uned hon. Diolch am bob esiampl sydd gennym o Gristnogion yn dangos eu ffydd ynot drwy gyfrwng eu gwaith. Helpa ni i redeg ein gyrfa ac i gadw'r ffydd. Amen.

Darlleniad: 2 Timotheus 4: 1–8

'Yr wyf wedi rhedeg yr yrfa i'r pen, yr wyf wedi cadw'r ffydd.' (adnod 7)

Cyflwyniad

Mae'n siŵr fod Paul yn gyfarwydd â nodweddion cystadleuol mabolgampau yr ymerodraeth Rufeinig, ac iddo ddefnyddio'r ddelwedd o athletwr wrth sôn amdano'i hun yn ei siars olaf i Timotheus, ei fab yn y ffydd. Dywed ei fod yn ymwybodol nad oes llawer o amser ganddo ar ôl ac y byddai'n cael ei ladd, 'aberth' yw'r gair yn y bennod hon. Ceir tair delwedd ganddo sef 'ymdrechu'r ymdrech lew', 'rhedeg yr yrfa' a 'cadw'r ffydd'. Roedd yr Olympiad gwreiddiol yng ngwlad Groeg wedi cychwyn yn yr wythfed ganrif cc a pharhau am bedair canrif, cyn yr Olympiad cyfoes sy'n ymestyn nôl i ddiwedd y bedwaredd ganrif ar bymtheg. Roedd yr un nodweddion sylfaenol i'r cystadlaethau hyn sef ymdrech, dyfalbarhad a dycnwch wrth y dasg. Bydd pencampwyr ein cyfnod yn pwysleisio wrth yr ifanc sy'n dechrau ar unrhyw feistrolaeth o lwyddiant ym myd y campau bod angen dalifyndrwydd diddiwedd wrth gryfhau corff a meistrolaeth ar y daith.

Cynnig arweiniad i Timotheus yr oedd Paul, gan sylweddoli y byddai'r gŵr ifanc hwn yn ddolen bwysig rhyngddo ef ei hun a'r eglwysi yn yr ail ganrif. Ar un wedd, roedd Paul yn hyfforddi Timotheus i ddal ati yng ngweinidogeth yr eglwys ac yn ei annog i ymroi i rannu a byw y ffydd Gristnogol.

Myfyrdod

Mae'r eglwys yng Nghymru a thu hwnt wedi sylweddoli bod cenhadaeth yn bwysig drwy fyd y campau, ac mae'r cyrff enwadol wedi cefnogi Caplaniaeth Chwaraeon Prydain drwy roi grantiau iddynt ddatblygu caplaniaid ym mhob math o feysydd. Yr amlycaf ohonynt yng Nghymru yw Steve Jones sy'n gyfarwyddwr Caplaniaeth Chwaraeon yng Nghymru. Ceir dwy wedd o waith y gymdeithas hon, sef darparu pobl mewn clybiau proffesiynol ac amatur i roi gwedd ysbrydol i'r gofal sy'n cael ei gynnig yn y mannau hyn, a helpu Cristnogion o blith y sêr proffesiynol i roi tystiolaeth am eu ffydd yn Iesu Grist i'r sawl sy'n dilyn y campau hyn. Er mwy dysgu mwy amdanynt, ewch ar www.sportschaplaincy.org.uk

Bydd amryw wedi clywed am waith y Parch. Eirian Wyn (Rosfa) fel caplan yng nghlwb pêl-droed Abertawe, ac mae hanes Michael Jones, blaenasgellwr Seland Newydd yn 1987, yn enwog pan wrthododd chwarae yn y gêm gynderfynol yng nghystadleuaeth gyntaf Cwpan y Byd am ei fod yn Gristion. Person arall a wrthododd chwarae rygbi ar y Sul yw Euan Murray, prop o'r Alban, ac mae llu o bobl eraill yr un mor daer dros eu ffydd.

Drwy gefnogi'r gwaith hwn mae'r eglwysi yn hyrwyddo gwasanaeth a chenhadaeth Cristnogol ar lwyfannau'r campau er lledaenu'r deyrnas. Mae llawer o bobl sy'n barod i uniaethu eu hunain fel Cristnogion mewn chwaraeon, ond i ba raddau y bydd eraill yn ein hadnabod ni fel pobl ffydd, pa lwyfan bynnag y cerddwn arno. 'Boed i eraill drwom ni adnabod cariad Duw.'

Gweddi

Maddau i ni Nefol Dad am golli sawl cyfle i rannu ein ffydd gyda phobl a fydd yn sylwi arnom. Diolchwn am dystiolaeth pobl ar lwyfannau campau o bob math. Diolch i ti am y gras sy'n cael ei gyflwyno yn eu bywydau hwy. Amen.

Caplaniaeth milwrol

Gweddi
Arglwydd cymod a chyfiawnder, gweddïwn dros ein byd sy'n profi stormydd casineb ac yn clywed bygythion dinistr. Gweddïwn am bwyll a heddwch yn ein hoes, ac na fyddwn yn profi trais ar lefelau nad ydym yn medru eu rhagweld. Trugarha wrth bobloedd byd. Amen.

Darlleniad: 2 Cronicl 28: 9–15

Cyflwyniad
Mewn uned flaenorol ystyriwyd caplaniaeth mewn ysbyty. Ceir caplaniaeth mewn amgylchiadau eraill hefyd. Yn yr Hen Destament ceir nifer o gyfeiriadau at sefyllfaoedd rhyfelgar gyda'r sawl sy'n traethu yn ymbil am fendith Duw ar ei bobl. Ceir llawer o adrannau hanes yn sôn am Israel yn mynd i ryfel, gan wau eu crefydd i mewn i'r adroddiadau hyn. Bu rhyfeloedd yn erbyn y Philistiaid yng nghyfnod Samuel, ac roedd cyfnod brenhiniaeth Dafydd yn llawn rhyfeloedd hefyd. Mae'n rhyfedd – pan fo tlodi a gormes bydd y dioddefwr yn apelio am gymorth Duw, a phan welir cyfnod o lwyddiant milwrol ac economaidd bydd y proffwyd, Oded yn y darlleniad hwn, yn rhybuddio yn erbyn cam-drin y caethweision. Cawn arweiniad ar hawliau pobl a chyfiawnder i'r unigolyn, y genedl ac i ddynoliaeth fel sydd yn y darlleniad hwn, ac yn Eseia 2 cofiwn am neges heddwch y proffwyd i'r sawl sy'n trin y gwaywffyn a'r cleddyfau.

Yn y Testament Newydd, roedd militariaeth y dydd yng ngariswn y Rhufeiniaid. Gwelwn enghreifftiau o bobl Dduw yn y mannau hynny hefyd, a nododd awduron y Testament Newydd fod y canwriad yn gweld mawredd Duw ym mherson Iesu. Yn ôl caplaniaid ein dydd, dywedir bod canran uwch o Gristnogion ymhlith milwyr nag sydd yn y boblogaeth yn gyffredinol. Un o gyfraniadau'r eglwys yw gweinidogaethu ymysg y sawl sy'n gwisgo lifrai ac yn derbyn y cyfrifoldebau a olyga hynny.

Myfyrdod

Prin bod unrhyw filwr yn chwennych wynebu arswyd maes y gad, a bydd y caplaniaid yno i estyn arweiniad ysbrydol, cydymdeimlad emosiynol a chefnogaeth foesol. Er nad yw'r caplaniaid yn cario arfau ac nad ydynt yn filwyr, byddant yn mynd i ble bynnag y bydd y milwyr yn mynd. Yn ystod y Rhyfel Byd Cyntaf lladdwyd 174 caplan ar faes y gad ac yn yr Ail Ryfel Byd bu farw 134 o gaplaniaid o Brydain a'r gymanwlad.

Bydd llu o safbwyntiau amrywiol ymysg aelodau'r eglwysi o bob enwad ym mhob cenedl. Bydd rhai yn frwd o blaid gweld byddinoedd proffesiynol gydag arfau soffistigedig, tra bydd eraill yn cynnal dadl heddychiaeth beth bynnag fo'r amgylchiadau. Rhywle ynghanol y dadleuon hynny bydd caplan yn plygu glin wrth erchwyn gwely milwr sydd wedi ei glwyfo'n wael neu yn rhannu cymun gyda'r sawl sydd ar faes y gad ac yn derbyn y tebygolrwydd ei fod yn darged y bwled a'r bom. Y caplan yw llais yr eglwys a gweinidog Iesu mewn mannau anodd bywyd i'r sawl sy'n gwisgo lifrai'r llywodraeth. Y caplan hefyd yw llais Samuel byd Eli a chyfraniad Oded yng nghyfnod Heseceia yn ein byd heriol a rhyfelgar ni. Diolchwn am leisiau gras ar lwyfannau gormes ac am eiriau cysur pan fo'r byd mewn creisis.

Gweddi

Arglwydd Iesu, diolchwn am dy weinidogion sy'n barod i fynd gyda milwyr gwledydd byd ac arwain oedfaon yn rhannu bendithion cariad Crist ynghanol stormydd creulon casineb. Credwn dy fod gyda hwy yn dy drugaredd, ac am hynny molwn dy enw di. Amen.

Operation Agri

Gweddi

Trugarha wrthym Arglwydd yn ein dihidrwydd at angen pobl eraill, er ein bod yn estyn calennig heb feddwl beth yn benodol yw'r angen. Wrth i ni chwilio am ffyrdd o Fyw y Gair, helpa ni nid yn unig i gefnogi'r asiantaethau dyngarol ond i weld yr angen sydd wrth ein hymyl. Amen.

Darlleniad: Actau 3: 1–10

'yn enw Iesu' (adnod 6)

Cyflwyniad

Bydd y sawl sy'n ymddiddori yng nghwaith Operation Agri (OA) yn gyfarwydd â'r deunydd cyhoeddusrwydd neu yn ymweld â'r wefan briodol. Sefydlwyd y gymdeithas yn 1961 fel rhan o waith Mudiad Dynion y Bedyddwyr (Baptist Men's Movement) ac er nad yw o dan adain y Gymdeithas Genhadol (BMS) mae'n cydweithio â'r corff cenhadaeth yn y prosiectau tramor.

Rhan o amcanion yr OA yw cyflwyno cariad Crist i gymunedau tlawd y byd a hynny drwy weithio yn bennaf i herio tlodi sylfaenol ymysg y bobl fwyaf difreintiedig sy'n bod. Ymysg y mathau o brosiectau sy'n cael sylw ganddynt rhestrir iechyd cymunedol, hyfforddiant galwedigaethol, benthyciadau tymor byr i deuluoedd sefydlu busnes, darparu dŵr glân a charthffosiaeth effeithiol yn y cymunedau tlawd, ac addysg feithrin.

Bydd OA yn defnyddio 80% o'r arian a ddaw i law ar brosiectau tramor a bydd y gweddill yn cael ei wario ar gyhoeddusrwydd, cyflogaeth a gweinyddu. O gymharu â mudiadau tebyg dyma rannu canran sylweddol gyda'r partneriaid tramor. Fel Cymorth Cristnogol, maent yn gweithio gyda phartneriaid yn y cymunedau tlawd, a hynny fel bod llai o arian yn cael ei ddefnyddio ar gyflogaeth a mwy ym maes yr angen. Canolbwyntir yr apeliadau hyn ar leoedd gwahanol bob blwyddyn, er bod y gwaith yn parhau yn Asia, yr Affrig ac America Ladin yn bennaf. Yn 2016 nodwyd gwaith yn Uganda, Nepal a Nicaragua, tra yn 2015 roedd y prif sylw yn Bangladesh, ac yn y flwyddyn flaenorol anghenion Afghanistan a Tanzania oedd ar y dudalen flaen.

Myfyrdod

Dros y blynyddoedd diweddar, bu apeliadau'r asiantaethau dyngarol yn troi mwy at ddefnyddio ffilmiau byrion ar y we, neu wrth drydar, nag at y ffurfiau printiedig. Yn ôl eu tystiolaeth, bydd pobl yn fwy tebygol o anfon rhodd drwy'r cyfrwng digidol ar ffôn symudol neu oddi ar y cyfrifiadur. Gwelodd rhai o'r mudiadau dyngarol ddadl gref dros wario'n sylweddol ar y ffurfiau cyfryngol o gynnal yr apêl am arian, gan ddweud iddo ddenu gwell ymateb yn y diwedd.

Beth sy'n hybu'r ymateb? Ai'r stori ddirdynnol boenus yn dangos yr afiechyd neu'r anghyfiawnder gan dynnu ar gortynnau emosiynol, neu fod gwasgu botwm yn ffordd hawdd ddi-boen o ymateb cyn symud ymlaen at e-bost arall yn y gyfres ddiddiwedd o e-byst? Pan fydd person yn gofyn am rodd ar ochr y stryd, a fydd y sawl sy'n taflu darn o arian i'r cap neu'r blwch yn aros i feddwl, neu yn well fyth, siarad â'r sawl sy'n gofyn cardod. Pa mor barod fyddwn i ymdeimlo gyda 'chri yr anghenus' ac uniaethu gyda'r gofyn?

Yn yr enghraifft a geir yn Actau 3: 1–10 ceir hanes Pedr ac Ioan nid yn unig yn gweld a gwrando ar y cardotyn ond yn mynd at wreiddyn y broblem. Ceir y pwyslais bod yr adfer wedi digwydd 'yn enw Iesu'. Dyna hefyd yw pwyslais Operation Agri – ffordd o weld y Gair ar waith fel bod modd byw y Beibl.

Gweddi

Diolch Iesu am dy anogaeth barhaus i weld ac i siarad gyda'r sawl sydd yn gofyn cardod. Cynnal ddyhead yr eglwys i weithredu'r ffydd ac i newid bywydau pobl. Amen.

Merched yn gweddïo ynghyd ledled byd

Gweddi

Arglwydd Dduw, deuwn o'th flaen yn gofyn dy fendith ar ein myfyrio heddiw. Wrth ystyried meddylfryd merched eglwysi'r byd yn gweld un chwaeroliaeth yn chwyldroi dialedd a chasineb i fod yn deulu newydd, deisyfwn dy fendith yn peri llwyddiant i'r ymroddiad. Amen.

Darlleniad: Rhufeiniaid 12: 1–8

Cyflwyniad

Ar ddechrau mis Tachwedd bydd sawl digwyddiad yn hawlio sylw. Ar wahân i gofio ymdrech Guto Ffowc yn ceisio chwalu Tŷ'r Arglwyddi yn 1605 a gweithgareddau Sul y Cofio, ceir Diwrnod Gweddi Gwragedd Bedyddiedig y Byd. Eu thema eleni yw 'Pan fyddwn yn codi i fyny, bydd Ef yn disgleirio drwyddo.' Bydd thema'r gwasanaeth yn pwysleisio'r gwirionedd bod y sawl sydd yng Nghrist yn dod ynghyd ac yn cael eu trawsnewid – 'Bydded ichwi gael eich trawsffurfio trwy adnewyddu eich meddwl...'

I'r sawl a drefnodd y gwasanaeth, gobeithir y bydd y chwiorydd yn yr eglwysi ledled y byd yn cyd-weddïo ac yn rhoi eu hunain yn gyfryngau i oleuni Crist lewyrchu drwyddynt a bod yn gyfryngau effeithiol i weld Duw ar waith. Mae'r oedfa weddi hon yn chwyldroadol ac yn fyd-eang. Bydd nifer o'r unedau yn y gyfres hon yn pwysleisio beth all yr eglwys leol wneud, ond wrth gofio am ddydd gweddi byd-eang y gwragedd, y gamp yw cofio bod yr eglwys leol yn fodd i uno'r merched ym mhob gwlad. Wrth i wragedd Cymru rannu yn y gweddïau hyn, byddant yn rhannu'r un defosiwn â gwragedd gwledydd eraill ar y pum cyfandir, yn wragedd cyfoethog a thlawd, breintiedig a difreintiedig, gwragedd sydd wedi cael llawer o ddysg ac eraill na chafodd gyfle i fynd i ysgol o gwbl. Gall fod merched priod neu sengl, rhai yn iach, eraill yn glaf, heb anghofio'r sawl sydd yn rhydd i ddilyn eu gweledigaeth ac eraill yn gorfod ufuddhau i fympwy teulu. Yng Nghrist, maent yn un chwaeroliaeth fawr ac yn fodd i oleuni Iesu ddisgleirio drwyddynt.

Myfyrdod

Bydd ailgylchu yn air newydd yn ein geirfa ers degawd a mwy, ond mae'r syniad o ailgylchu yn rhan o brofiadau y cenhedloedd a'r cenedlaethau. Nid oes mwy o ddŵr yn y byd nag a oedd adeg Moses, a gwelodd pob cenhedlaeth y rhyfeddod o'r ŵy yn torri er mwyn i'r cyw ddeor, neu'r lindys yn trawsnewid i fod yn iâr fach yr haf. Bydd y blawd yn cael ei ailffurfio i fod yn dorth a'r mwynau haearn yn cael eu trin i fod yn fetal pwysig.

Gwyddom fod addysg wedi trawsffurfio pobl ddi-ddysg yn addysgwyr o fri a bod milwyr yn troi'n heddychwyr. Er mor anodd yw dychmygu'r newidiadau hyn, bydd trawsffurfio drwgweithredwyr yn saint yn gofyn mwy o ddychymyg. Efallai fod meddwl am ferched o'r un iaith a chenedl yn cyd-addoli yn ddealladwy, ond beth am weld Cristnogion o blith yr Iddewon yn cyd-addoli gyda Christnogion o blith y Palestiniaid, neu Gristnogion India yn addoli gyda Christnogion o Bacistan.

Fel bydd gronynnau o dywod yn troi i fod yn wydr, bydd eglwys weddigar yn troi yn gyfrwng trosglwyddo goleuni gobaith i fyd tywyll – dyna natur y wyrth y bydd Dydd Gweddi Chwiorydd y Byd yn credu sy'n gwbl bosibl.

Gweddi

Diolch Arglwydd am ryfeddod dy waith ym mywyd yr eglwys, wrth droi hen elynion yn gyfeillion. Ni allwn ddychmygu unrhyw gorff arall yn ymroi i wireddu y fath freuddwyd. Boed i'r eglwys weld ei chyfle a'i chyfrifoldeb, nid fel Guto Ffowc a'i ffrwydron na fel y meddwl militaraidd yn concro'r byd drwy arfau, ond fel cariad yn trechu casineb a brawdoliaeth yn drech na brawychu. Amen.

Cyflwyno'r Gair

Gweddi

Diolch Nefol Dad am y fraint o gael Beibl yn ein hiaith sy'n ddeniadol ei ddiwyg ac wedi ei ddiweddaru i iaith naturiol pobl. Ysbrydola ni i droi at y Beibl yn ddyddiol a'i ddarllen yn rheolaidd. Amen.

Darlleniad: Actau 8

Cyflwyniad

Prin yw'r cyfeiriadau Beiblaidd at waith esbonio'r Ysgrythur. Gellir cyfeirio at Esra yn darllen wedi i'r genedl ddychwelyd o Fabilon i Jerwsalem, neu Iesu yn siarad gydag arbenigwyr y Gyfraith am bynciau crefyddol, ond yr amlycaf yw hanes Philip yn egluro'r Ysgrythur i'r eunuch o Ethiopia. Roedd Philip, un o'r apostolion lleiaf amlwg, yn egluro'r Ysgrythur i gynulleidfa o un, a hynny mewn lle diarffordd, ond testun sylfaenol ei wers oedd Iesu Grist, ei berson a'i waith.

Bydd rhai yn dadlau nad oes unrhyw beth gwerthfawr yn yr Hen Destament, ac ym marn y bobl hyn gellir hepgor yr Hen Destament yn llwyr. Dyna fyddai colled gan fod yr Hen Destament, o'i ddarllen yn wrthrychol, yn cyfeirio sylw'r darllenydd at fawredd a thrugaredd Duw, a bod Duw y genedl Iddewig yn proffwydo dyfodiad y Meseia ac i hynny ddigwydd ym mherson Iesu o Nasareth. Oni bai am gyfoeth crefyddol a diwinyddol yr Hen Destament, byddai'n waith anodd amgyffred delweddau Iddewig a chyflwyniadau diwinyddol y lleisiau sy'n siarad yn y Testament Newydd, gan gynnwys yr hyn a nodir o eiriau Iesu ei hun. Sonnir weithiau bod Iddewiaeth yn grud i Gristnogaeth, ond roedd yn llawer mwy na hynny. Pan ganwn 'Daeth Crist i'n byd, O llawenhawn', bydd angen cofio llwyfan a lleoliad yr ymgnawdoliad, a hynny o ran amser dyn ac amcan Duw.

Myfyrdod

Bu'r Ysgol Sul yn rhan o'n hetifeddiaeth Anghydffurfiol ers dechrau'r ail ganrif ar bymtheg. Gwyddom i William Morgan gyfieithu'r Beibl i'r Gymraeg yn 1588, ac i Thomas Charles a'r Feibl Gymdeithas ei gyhoeddi a'i ddosbarthu mewn ffurf fforddiadwy yn hwyrach. Elfen arall yn y stori oedd gwaith arloesol Gruffydd Jones i droi gwerin anllythrennog yn bobl lythrennog. Gwerthfawrogwn hefyd sêl y Methodistiaid a gwaith pobl fel Morgan John Rhys yn dosbarthu tractiau. Roedd y camau hyn yn bwysig fel bod canran cyfuwch â 65% o boblogaeth Cymru yn Gristnogion erbyn canol y bedwaredd ganrif ar bymtheg. Nid rhywbeth sydyn dros nos yw chwyldro crefyddol.

Un peth yw medru darllen y Beibl, peth gwahanol yw ei ddeall. Cam pellach eto ar y daith yw derbyn y gwirionedd a'i gredu. Yn hanes Philip a'r eunuch, gwelir yr angen i egluro ac i dderbyn yn yr hanes dramatig sydd yn Actau Pennod 8. Mae'n anodd dyfalu pam fod pobl wedi colli gweld gwerth y Beibl. Mewn rhai eglwysi bydd y gynulleidfa yn dilyn y darlleniad, hyd yn oed ar eu ffonau symudol. Diolch am waith Cyngor Ysgolion Sul Cymru yn trefnu cyhoeddi cymaint o adnoddau deniadol a difyr, yn Feiblau, esboniadau a llyfrau defosiwn, a hynny ar gyfer pob oed ac yn aml-gyfrwng. Eto dyma'r adeg, yn anffodus, pan fydd Ysgolion Sul yn cau.

Mewn gwledydd eraill mae'r llanw yn cyrraedd traethau anghrediniaeth. Mae digon o enghreifftiau lle bydd 'gweddill ffyddlon' eglwysi sydd heb lawer o aelodau yn cynnal dosbarth Beiblaidd ar aelwydydd. Ceir mwy o enghreifftiau o eglwysi ifanc newydd yn rhoi pwyslais ac yn cael budd o gynnal grwpiau darllen y Beibl.

Gweddi

Diolch Arglwydd am y fraint o fedru darllen ac am drysor y Beibl yn ein llaw. Helpa ni i ddarllen y Beibl gydag eraill a'i drafod yn ystyrlon.

> Dyma Feibl annwyl Iesu,
>   dyma rodd deheulaw Duw;
> dengys hwn y ffordd i farw,
>   dengys hwn y ffordd i fyw;
> dengys hwn y golled erchyll
>   gafwyd draw yn Eden drist,
> dengys hwn y ffordd i'r bywyd
>   drwy adnabod Iesu Grist. Amen.

Casgliad T. Owen, priodolir i Richard Davies (*Caneuon Ffydd* 198)

Lobïo dros Heddwch

Gweddi

Arglwydd, gwyddost am ein gofidiau wrth glywed am rethreg y gwleidyddion yn sôn am lywodraeth Gogledd Korea yn profi eu harfau yn groes i ganllawiau y Cenhedloedd Unedig. Helpa ni i feddwl am yr hyn y gallwn ei wneud dros heddwch byd. Amen.

Darlleniad: Genesis 26: 12–22

Cyflwyniad

Bydd Iddewiaeth yn gyson yn cyfeirio at Dduw fel 'Duw Abraham, Isaac a Jacob', a hynny fel modd o gofio bod y genedl wedi ymddiried yn Nuw ers y cyfnod cynharaf un. Cyfeirir at Abraham, Isaac a Jacob fel y patriarchiaid, a bod eu ffydd hwy yn Nuw yn esiampl gyson. Mae'r darlleniad heddiw yn enghraifft o ffordd Isaac o ymwrthod â rhyfel mewn ffordd ddi-drais ond yn ennill heddwch yn y tymor hir.

Prin bod Iddewiaeth wedi dilyn meddylfryd Isaac, a chyfiawnhawyd y grym militaraidd fel ffordd gyfiawn yn eu golwg. Mae heddychwyr ymhlith lleiafrif yr eglwys Gristnogol, ond prin bod perthyn i leiafrif yn gwneud eu daliadau yn llai dilys nag unrhyw un arall. Ceir digon o gyfeiriadau at ryfel yn yr Hen Destament, ac mae hanes y genedl yn hynod waedlyd. Hyd ein cyfnod ni, gwelodd yr Iddewon lawer o dywallt gwaed ac erledigaeth yn eu hanes.

Myfyrdod

Nodwyd mewn uned flaenorol bod yr eglwys yn ystyried dadlau dros heddwch fel rhan o'i chenhadaeth. Dyfynnir yn aml eiriau Martin Niemöller 1892–1984, gweinidog Lutheraidd yn yr Almaen a gefnogai Hitler yn wreiddiol ac na safodd dros y sosialwyr a'r Iddewon pan oeddent yn cael eu herlid. Pan ddaeth y fyddin ar ei ôl ef, sylweddolodd ei gamgymeriad pan nad oedd unrhyw un ar ôl i sefyll drosto ef. Prin y byddai Martin Luther King am ddadlau dros fod yn dawedog, ond galwodd ar yr eglwys i godi llais dros werthoedd heddwch a hyrwyddo'r agwedd ddi-drais wrth wneud.

Nid pawb sy'n medru mynd ar ymgyrchoedd neu brotestiadau, ond gall pawb dorri ei enw ar ddeiseb, neu anfon gair at Aelod Seneddol a siarad dros ymatal rhag meddylfryd militaraidd. Yng nghyd-destun y storm sy'n berwi yng Ngogledd Korea ar hyn o bryd, bydd y mwyafrif helaeth o'n plith yn teimlo'n gwbl ddiymadferth, ond bydd anfon llythyr at y Prif Weinidog yn rhif 10 Stryd Downing yn un ffordd o ychwanegu at y llais dros heddwch. Pe bai deng mil o lythyron yn ei chyrraedd i'w hannog i ddadlau y dylai'r Cenhedleodd Unedig ddal nôl rhag tanio arfau niwcliar, byddai hyn yn gyfraniad gwerthfawr yn erbyn y gyflafan arswydus a allai ddigwydd. Gŵyr Siapan yn iawn beth ddigwyddodd yn Hiroshima a Nagasaki, a gallai'r byd heddiw weld sefyllfa llawer gwaeth, oni bai fod ewyllys byd yn hawlio hedd.

Gweddi
Drugarog Dad, gweddïwn am heddwch ledled byd ac yn arbennig am weld ymatal rhag gweld cynnydd yn rhethreg y gwleidyddion yn bygwth tanio'r taflegrau dieflig hyn. Amen.

Caplaniaeth mewn carchar

Gweddi

Nefol Dad, byddwn yn ymwybodol heddiw o fywyd y sawl sy'n cael eu carcharu ac angen cymorth ar eu taith. Helpa ni i fod yn gadarnhaol ein defosiwn wrth feddwl amdanynt, gan gynnwys y wardeniaid, yr addysgwyr a'r caplaniaid sy'n gweithio yn y mannau hyn. Amen.

Darlleniad: Actau 16: 10–40

Cyflwyniad

Mewn dwy uned flaenorol, nodwyd ymdrech yr eglwys i estyn cefnogaeth i gleifion ac i'r sawl sydd yn aelodau o'r lluoedd arfog. Ceir amgylchiadau eraill hefyd, fel caplaniaeth mewn diwydiannau, clybiau pêl-droed a charchardai. Pwy ohonom all ddychmygu gwasanaethu mewn sefyllfaoedd felly, gan geisio bod yn llais Duw mewn mannau lle bydd pwysau gwahanol ar yr unigolion?

Ceir 142 o garchardai ym Mhrydain gyda 88,100 yn cael eu cadw yno. (Nodir bod 3,982 ohonynt yn ferched.) Bydd rhai carcharorion yn ddi-hid i'w sefyllfa, ac yn ôl sawl ffynhonnell bydd y troseddwr cyson yn disgwyl cael ei ddal ac yn derbyn y gosb. Bydd eraill wedi cael eu dal mewn amgylchiadau gwahanol, ac wedi troseddu heb gynllunio gwneud neu dan straen y foment ac yn ymdeimlo â'u heuogrwydd. O bosibl byddant yn poeni am deulu ac yn eu gweld hwythau'n cario beichiau hefyd.

Myfyrdod

Gwaith y caplan fydd hyrwyddo gobaith mewn anobaith a chynnig arweiniad i berson sydd heb syniad sut i ymdopi, yn enwedig os yw'r ddedfryd yn un hir. Bydd ganddynt gymaint o angen cefnogaeth â neb, a hynny yn gorfforol, gyrfaol ac ysbrydol. Bydd yr eglwys ar waith gyda'r sawl a garcharwyd, beth bynnag y rheswm. Weithiau byddwn yn gweld carcharu'r drwgweithredwyr fel modd o amddiffyn y gymdeithas rhag y peryglon maent yn medru eu hachosi, ond ceir hefyd lu o enghreifftiau lle bydd carchar yn cynnig cyfle i adfer y person a dorrodd y gyfraith.

Yn ôl tystiolaeth y carcharorion eu hunain, y caplaniaid a'r gwirfoddolwyr sy'n mynd i mewn i weithio gyda charcharorion, bydd angen i'r carcharorion gael cwmni ac arweiniad cyson a chadarnhaol yn ystod y cyfnod dan glo. Bydd cyfleoedd prin iddynt weld eu teuluoedd, a chynigir addysg a hyfforddiant gwaith hefyd. Yn yr un modd, mae'n bwysig i feithrin bywyd ysbrydol yno a dyna werth a phwysigrwydd ymweliadau gan y ffrindiau sy'n glust ac yn gwmnïaeth.

Credwn fod 'Duw yn llond pob lle, presennol ymhob man'. Ceir enghreifftiau o Dduw gyda'i bobl yng nghelloedd duaf bywyd, a noda Luc brofiad rhyfeddol a chadarnhaol yng ngharchar Philipi. Gweddïwn dros adferiad y troseddwyr a garcharwyd ym mhob gwedd o'u bywydau gan gynnwys eu bywyd ysbrydol. Gobeithiwn y byddant yn dewis cerdded ar yr ochr gyfreithlon.

Gweddi

Nefol Dad, cofiwn heddiw am y sawl a garcharwyd am iddynt dorri'r gyfraith. Bydd ganddynt berthnasau a ffrindiau sy'n rhannu eu gofid ac yn dymuno eu cefnogi. Gweddïwn ninnau drostynt hefyd y byddant yn dewis ffordd sy'n parchu'r gyfraith ac yn ceisio osgoi'r demtasiwn i wneud fel arall. Diolchwn am waith y gweithwyr cymdeithasol a'r caplaniaid sy'n ceisio cynnig arweiniad cadarnhaol yn y carchardai, heb anghofio'r swyddogion sy'n gyfrifol am ddiogelwch y llefydd hyn. Boed i'th ysbryd di fod ar waith yn eu plith ac y byddwn yn gweld diwygiad o'r newydd. Amen.

Cludo nwyddau i wlad Romania

Gweddi
Nefol Dad, yn nhymor yr hydref, a llawer o waith yn cael ei gyflawni er budd eraill, agor ein clustiau i glywed y gri am gymorth, ac annog ni i roi mwy er lles eraill yn lleol ac yn fyd-eang. Amen.

Darlleniad: Philipiaid 4: 10–14
'Da y gwnaethoch wrth rannu â mi fy ngorthrymder.' (adnod 14)

Cyflwyniad
Ar ddiwedd ei lythyr at y Philipiaid, ceir nodyn personol oddi wrth Paul yn diolch am y rhoddion a dderbyniodd oddi wrth aelodau'r eglwys i'w gynnal yn y carchar yn Rhufain. Dibynnai ar haelioni cyfeillion fel hyn, ac nid cam hawdd fyddai cludo'r rhoddion. Roedd cryn bellter rhwng Philipi a Rhufain, a byddai teithio yn ddrud o ran amser a'r modd o wneud.

Mae sawl prosiect wedi cychwyn gyda sgyrsiau rhwng dau, a bu Ann ac Alan Penrose yn poeni am sefyllfa druenus pobl Romania cyn 1990. Erbyn y flwyddyn honno aethant â chais am gymorth at eglwysi Caerdydd i gasglu ystod eang o gelfi cegin, dillad gwely a dillad pobl o bob oed. Siaradodd Alan gydag Eurig Evans, Ysgrifennydd Cyffredinol y Tabernacl ar y pryd, a daeth Beryl Eurig yn ddolen gyswllt gref i'r modd y bu i'r Tabernacl uniaethu gyda'r gwaith hwn. Trefnwyd lori ganddynt i gludo'r deunydd dramor a bu'r tlodion a'r difreintiedig yn Romania yn cael y cymorth sylfaenol hwn dros y 27 mlynedd y mae'r cynllun wedi bod ar waith. Perchenogodd aelodau'r eglwysi y syniad o'r cychwyn, ac edrydd Ann Penrose yr hanes yn ei llyfr *Road to Romania – Stories to encourage and inspire* (2017).

Myfyrdod
Rhan amlwg o fywyd erbyn hyn yw estyn rhodd drwy gyfrwg gwefan fel 'Just Giving'. Bydd y sawl sydd am gefnogi yn ei chael yn hawdd a di-boen, er mae'n naturiol gofyn a yw'r cysylltiad o roi rhywbeth ein hunain

naill ai wedi ei weu neu ei brynu mewn siop, neu dderbyn her fel rhedeg ras neu ddringo mynydd er mwyn codi arian yn fwy byw a phersonol.

Yn enw'r wefan 'Just Giving', pa un o'r ddau air sydd bwysicaf? Ai 'rhoi cyfiawn' neu 'dim ond rhoi' fyddai ein trosiad ohono? Y perygl yw rhoi briwsion y dorth, ac nid canran mwy sylweddol. Byddwn yn meddwl am ein hangen ni yn gyntaf, a meddwl beth y gallem ei hepgor er mwyn cefnogi'r achos. Ar ryw olwg, rhoi 'di-gost' yw hynny, er nad yw'r rheswm dros roi yn gwneud gwerthfawrogiad y derbynnydd damaid yn llai. Ceir llu o apeliadau sy'n pwysleisio y 'dim ond rhoi', pa mor fach bynnag y bo'r rhodd, a bod 'pob ceiniog yn cyfrif'. Diolch am hwylustod y wefan ac am ewyllys da llawer o bobl. Gobeithio y bydd yr hyn a gludir i Romania yn gysur a chynhaliaeth i'r derbynwyr. Yr hyn mae tlodion daear ei angen yw amgylchiadau byw sy'n deg a chyfiawn, ac mae hynny'n gofyn am chwyldro economaidd a chymdeithasol nad yw'r byd, hyd yma, yn barod i'w weld gwaetha'r modd. Mae gan yr eglwys lais i ddweud ac ewyllys i wneud, diolch byth. Dyna beth yw dweud a gwneud o blaid y 'rhoi cyfiawn'.

Gweddi

Maddau i ni Arglwydd am roi cyfforddus ac nid y rhoi sy'n costio. Diolch am bob prosiect sy'n hyrwyddo tegwch mewn byd annheg ac am ymroddiad dinasyddion fel Alan ac Ann Penrose. Gweddïwn y daw eraill i greu dolenni effeithiol a byw y ffydd. Amen.

Estyn Lloches

Gweddi

Wrth i'r tywydd droi'n oer byddwn yn fwyfwy ymwybodol o'r sawl sydd heb aelwydydd diogel ac yn cysgu allan ar y stryd. Yn ein myfyrdod heddiw, ceisiwn feddwl am y cyfleoedd sydd gennym i fod yn fwy agored ein breichiau a medru cynnig cymorth i'r digartref. Amen.

Darlleniad: Eseia 58: 1–9a

'Onid rhannu dy fara gyda'r newynog, a derbyn y tlawd digartref i'th dŷ.' (adnod 7)

Cyflwyniad

Nodwyd droeon am drefn sylfaenol y grefydd Iddewig o fod yn ystyrlon o eraill a'r pwyslais ar fod yn lletygar. Bydd trydedd adran Llyfr Eseia (penodau 56–66) yn codi o brofiadau'r genedl ar ôl dychwelyd o'r gaethglud ac yn gosod canllawiau sut i ymddwyn fel pobl Dduw. Sonnir am fyw y gyfraith drwy gadw barn a gwneud cyfiawnder (56: 1). Yn yr adnodau dan sylw pwysleisir y wedd weithredol yn hytrach na chadw ympryd defodol. Cofiwn fod y genhedlaeth a ddychwelodd o Fabilon heb fagwraeth yn Israel, ac mai'r ifanc a ddaeth nôl gan adael yr henoed gwanllyd ar ôl. Ni fyddent yn gyfarwydd â'r grefydd Iddewig ac roedd angen ailosod y sylfeini moesol.

Ceir enghreifftiau lu o gymunedau neu genhedloedd ar draws y canrifoedd yn ailddarganfod y ffydd mewn modd chwyldroadol ac roedd y Diwygiad Protestannaidd yn enghraifft o hynny. Felly hefyd hanes yr eglwysi a sefydlwyd i ddatblygu'r bwrlwm Anghydffurfiol ym Mhrydain. Pan fydd credo a moes wedi llacio, daw cenhedlaeth o bobl sy'n ailddarganfod y gwirioneddau ac yn cadarnhau Duw yn eu calonnau. Daw oes yr ailddarganfod eto i Gymru, nid am ei fod yn batrwm o'r gorffennol, ond oherwydd bod Duw yn ei anian yn hawlio hynny.

Myfyrdod

Rhan o weinidogaeth rhai fydd estyn lloches i'r sawl sydd heb wely ac yn cysgu allan. O blith eglwysi Cymraeg Caerdydd mae Eglwys Salem yn Nhreganna yn perthyn i gylch o eglwysi yn yr ardal orllewinol ac maent yn cydweithio fel hyn gan gadw gwelyau wedi eu plygu ac yn darparu ymgeledd i'r bobl sy'n dueddol o gysgu allan. Byddant yn cymryd noson yn eu tro ac yn cynnig brecwast i'r sawl sydd yn cysgu'r nos yno. Bydd gofyn bod rhywun yn derbyn y cyfrifoldeb o fugeilio'r sefyllfa ac yn sicrhau diogelwch a thegwch iddynt. Nid oes gan bob eglwys yr un adnoddau, ac ni fydd angen tebyg mewn cymunedau pentrefol neu wledig. Serch hynny, mae'r cynllun yn profi bod yr eglwysi hyn yn effro i'w cyfleoedd ac yn gwneud gwaith rhagorol. Mewn eglwysi dinasoedd eraill ceir cynnig darpariaeth briodol fel hyn, ac yn eglwys St Martin in the Fields ger Sgwâr Trafalgar yn Llundain mae llawer o feddwl ar bolisïau ac agweddau sy'n gynhwysol ac yn fwy na chanolfan lloches.

Gwelodd Byddin yr Iachawdwriaeth yn dda i adeiladu llefydd pwrpasol, a byddwn yn edrych ar uned felly eto. Yn yr un modd daeth sawl corff enwadol ynghyd dan yr enw 'Aelwyd' i addasu hen adeiladau crefyddol i fod yn aneddau mewn cymunedau. Mae adeiladau yn adnoddau gwerthfawr, ac mae'n gyfrifoldeb i'w defnyddio'n ddoeth ac yn gyfrifol, nid yn gymaint er ein lles ni, ond er mwyn hyrwyddo gwaith y Deyrnas.

Gweddi

Diolch Arglwydd am yr eglwysi sy'n medru agor eu drysau i gynnig cysgod i eraill. Maddau i ni am gyfyngu ein defnydd o adeilad i ychydig oriau yn yr wythnos heb weld y cyfleoedd a ddaw i helpu eraill. Amen.

Gwasanaethu wrth y byrddau

Gweddi

Diolch Arglwydd am y fraint o berthyn i eglwys, yn lleol ac yn fyd-eang. Dim ond ti, Arglwydd, all wybod faint ohonom sydd yn rhan o'r teulu. Trysorwn yr anrhydedd fawr hon. Gwerthfawrogwn amrywiaeth yr eglwys a hynny ym mhob gwlad. Rhai mewn mannau sy'n gefnogol i'r ffydd a rhai ynghanol cymunedau sy'n elyniaethus i'r dystiolaeth Gristnogol, rhai yn eu cyfoeth ac eraill mewn tlodi. Diolchwn am yr Eglwys fawr fyd-eang yn ei haddoliad, ei chymdeithas a'i thystiolaeth. Wrth i ni feddwl am yr Eglwys yn ei hamrywiol weithgareddau, dyro i ni weld ein cyfle i wneud yr hyn a allwn er budd y gymdeithas ehangach. Amen.

Darlleniad: Actau 6: 1–7

Cyflwyniad

Nid oes modd dyfalu faint yn union o amser a fu rhwng y Pentecost a'r hyn a adroddir yma yn Actau 6. Roedd yr eglwys wedi ymateb i'r anogaeth i bregethu a dysgu'r bobl am Iesu. Eto, roedd Luc am i'w ddarllenwyr sylweddoli bod y Cristnogion cynnar wedi gweld angen i ddarparu lluniaeth i'w cymunedau. Yn y bedwaredd bennod, roedd yr eglwys wedi gweld yn dda i gymell yr aelodau i rannu eu heiddo, a bod pawb yn derbyn o'r hyn a ddaeth ynghyd yn ôl yr angen. Mwy na thebyg eu bod yn disgwyl diwedd y byd i ddod yn fuan, pan fyddai Iesu yn dychwelyd yr eildro. Roedd caru cymdogion yn cymryd neges y ddameg am y 'defaid a'r geifr' (Mathew 25) o ddifrif.

Bu lletygarwch yn nodwedd gyson o fywyd yr Iddew a byddai estyn bwyd a diod yn dod yn naturiol iddynt. Serch hynny, roedd y ffordd yr aeth yr Eglwys Fore ati yn mynd yn bellach na'r disgwyl. Cyrhaeddwyd y pwynt lle roedd gormod o waith gan yr Apostolion a dewiswyd saith person 'yn llawn o'r Ysbryd Glân' i weini wrth y byrddau.

Myfyrdod

Bu lletygarwch yn nodwedd bwysig yn hanes yr eglwys erioed. Roedd canolfannau ffydd yn y cyfnod cyn Anglicaniaeth ac Anghydffurfiaeth yn rhoi lle amlwg i'r teithwyr a bu'r mynachlogydd yn fannau o ofal a chroeso ar draws y byd. Felly hefyd y croeso a gafwyd yn yr 'hospitium' mewn llefydd fel Ysbyty Ifan yn y gogledd a Spittal ger Hwlffordd yn y de. Dyma gefndir yr ysbytai cyfoes.

Yn ystod Streic y Glowyr ddiwedd y 1920au, bu'r eglwysi yn estyn cefnogaeth ymarferol i'r teuluoedd a oedd yn brwydro am gyfiawnder, a blagurodd Cymorth Cristnogol yn 1945 fel ymateb i'r ffoaduriaid ar ddiwedd yr Ail Ryfel Byd. Ceir llu o enghreifftiau ar draws y byd o'r un nodwedd ddyngarol, ac yn dystiolaeth o'r 'eglwys ar waith'.

Mae'r 'Te i'r digartref' yn rhan o hanes y Tabernacl bellach, a hynny am dros 30 mlynedd. Bu llawer o'r aelodau yn weithgar gyda'r prosiect hwn, a gallwn ddiolch am ddycnwch y cyfeillion hyn yn cynnal y gwaith hyd heddiw. Bellach mae'r cylch o eglwysi Cymraeg ardal Caerdydd yn rhannu'r gwaith gan gynnig i fwy o bobl estyn llaw a bod yn 'weinyddwyr wrth y byrddau'. Cofiwn eiriau Iesu, 'Yn gymaint ag ichwi ei wneud i un o'r lleiaf o'r rhain, i mi y gwnaethoch.'

Gweddi

Arglwydd, dathlwn gyfraniad lletygar y saint ar draws y cenedlaethau a'r cenhedloedd. Gwerthfawrogwn y cylch eang o ffrindiau a fu'n estyn help yn festri'r Tabernacl i'r sawl sy'n gofyn cymorth. Gweddïwn y daw pobl o'r newydd i berchenogi'r weledigaeth ac i ymroi i waith yr eglwys. Amen.

Apêl Nadolig Cymorth Cristnogol

Gweddi

Arglwydd pob cynhaliaeth – molwn dy enw a diolchwn am dy fendithion. Yn y cyfnod hwn o gerdded tuag at breseb Bethlehem, dyro i ni glywed cri yr anghenus a gwahoddiad yr angylion i weithio dros heddwch ar ddaear lawr, drwy ewyllysio daioni ar draws y byd. Amen.

Darlleniad: Salm 23

Cyflwyniad

Yng nghyfnod yr Adfent, bydd llawer yn credu mai'r dasg bwysicaf yw paratoi er mwyn dathlu'r Nadolig gyda steil. Dyma'r cyfnod pan fydd y naill yn holi'r llall, 'Wyt ti'n barod ar gyfer y Nadolig?' Bydd 'bod yn barod' i lawer yn ymwneud â digonedd o fwydydd a diodydd yn y tŷ. Pwyslais cynyddol yr eglwysi a mudiadau dyngarol bellach yw rhoi yn hytrach na derbyn, bod yn gynhwysol yn hytrach na pheri i'r tlawd a'r difreintiedig deimlo eu bod wedi cael eu hynysu.

Enghraifft dramor o angen yw hanes ardal Burkina Faso yng ngorllewin yr Affrig. Mae partneriaid Cymorth Cristnogol yn adrodd bod plant yn marw yno oherwydd diffyg bwyd a gofal. Sonnir am 4,000,000 o bobl wedi symud o'u hardaloedd oherwydd bod y cynaeafau wedi methu am y drydedd neu bedwaredd flwyddyn yn olynol. Cofir am hanes teulu Joseff yn teithio i'r Aifft i chwilio am fwyd, a hanes y Gwyddelod yn gadael bro eu mebyd oherwydd i'r cnydau tatws fethu yn y 1870au. Bydd ffoaduriaid yn colli mwy nag eiddo, byddant yn colli sefydlogrwydd cartref a chymuned, a'u bywydau ar chwâl. Drwy gefnogi Cymorth Cristnogol yn eu hapêl y Nadolig hwn, byddwn yn hyrwyddo llawer mwy na rhoi bwyd yn y cwpwrdd, ond yn dyheu am weld cymunedau yn diogelu undod a sefydlogrwydd i'r trueiniaid hyn a hynny yn yr ardaloedd lle mae eu gwreiddiau cynhenid.

Myfyrdod

Pan ystyriwn beth sy'n werthfawr yn ein bywydau, prin y bydd eiddo yn dod i frig y rhestr. Gellir byw heb yr hyn sydd ar yr ochr allanol i fywyd. Er mor ddymunol yw dillad crand a chartrefi wedi eu dodrefnu'n foethus, petheuach dros dro yw'r allanolion hyn. Bydd diolch am deulu yn dod yn amlwg i'r meddwl a'r ymdeimlad o berthyn. Tybed a fyddwn yn diolch am gwmnïaeth cymdogion a chyfeillion, cydweithwyr a sefydliadau sy'n darparu diogelwch, addysg, gofal iechyd? Pe byddai hyn oll yn diflannu, a'n gadael mewn man peryglus, heb gwmnïaeth na chynhaliaeth, beth wedyn? Ar yr adeg honno, bydd sawl anffyddiwr yn dechrau gweddïo, a'r person ymffrostgar yn sylweddoli ei angen. Bydd y sawl sydd wedi brolio eu bod yn hunanddigonol yn galw allan am gymorth, a'r sawl sy'n cerdded glyn cysgod angau yn diolch am olau Nef.

Gweddi

Nefol Dad, trugarha wrthym am feddwl mwy am ein bodlonrwydd ein hunain nac am drueiniaid byd, y sawl sydd yn byw ymhell a'r sawl sy'n llechu gerllaw. Diolch am waith Cymorth Cristnogol ac asiantaethau eraill sy'n ceisio ymateb yn adeiladol i drigolion llu o wledydd yn gyson. Boed i'r eglwysi fod yn ymarferol a hael eu cefnogaeth eleni eto. Amen.

Cartref i'r digartref

Gweddi

Gwyddom Arglwydd i'th bobl fod yn ymwybodol o'r digartref ar hyd hanes, ond na fu'r ymateb yn gyson, yn arbennig mewn gwledydd cyfoethog. Agor ein meddyliau i ddeall y geiriau hyn yng nghyd-destun y digartref a'r ffoaduriaid heddiw. Amen.

Darlleniad: Lefiticus 25: 29–39

'Bûm yn ddieithr a chymerasoch fi i'ch cartref.' (Mathew 25: 35)

Cyflwyniad

Ar hyd y rhan fwyaf o hanes y genedl, bu Israel yn tanlinellu'r pwysigrwydd o roi cyfle newydd i'r tlodion mewn cymdeithas ac na ddylai unrhyw un fyw dan orthrwm dyled yn hir ac nad oedd unrhyw ddadl o blaid gorthrwm. Yn y brawddegau o Lefiticus ceir enghreifftiau o'r meddwl hwn a darllenir llawer o frawddegau tebyg yn Llyfr y Salmau a Llyfr y Diarhebion.

Yng ngeiriau Iesu gwelwn bwyslais naturiol ar gydymdeimlo a chefnogi'r tlodion yn y gymdeithas, ac yn nameg y defaid a'r geifr (Mathew 25) byddwn yn clywed y condemniad llwyr ar y sawl sy'n ddi-hid o ddigartrefedd a thlodi. Bydd y thema o estyn llaw tuag at y dieithryn anghenus yn ymddangos dro ar ôl tro yn yr Hen Destament a'r Testament Newydd.

Myfyrdod

Mewn rhai diwylliannau cyfoes ceir croeso amlwg i'r teithiwr a'r dieithryn, megis gwledydd yng nghanol cyfandir yr Affrig, tra bod y gwledydd Ewropeaidd yn llai parod i ymddwyn felly. Efallai fod y sawl sy'n gyfoethocach na'r rhelyw yn ofni am ddiogelwch eiddo a bywyd pobl tra byddai'r gwledydd tlawd yn cynnig llety gan sylweddoli bod pawb yn gyffredinol dlawd.

Yn ystod ail wythnos mis Hydref rhoddir sylw penodol i ddigartrefedd a gellir dysgu llawer ar wefan World Homeless Week. Yno nodir bod 100 miliwn person yn cysgu allan ar draws y byd, a dyfalir bod 4,000 yn cysgu allan yn Lloegr. Bydd rhai dinasoedd yn rhoi gwell darpariaeth nag eraill gan gynnig hosteli penodol. Gwnaeth Byddin yr Iachawdwriaeth ymdrech enfawr i ddarparu lloches, a chofiwn fod y term 'ysbyty' yn Gymraeg a 'hospital' yn Saesneg yn tarddu o'r gair 'hospitium' yn Lladin sy'n cyfeirio at loches neu le diogel ac nid canolfan feddygol fel yn y presennol.

Ceir gwybodaeth werthfawr ar wefan newyddion y Bedyddwyr yn Lloegr yn adrodd hanes cychwyn asiantaeth o'r enw 'Hope into Action'. Maent yn chwilio am nawdd i gynorthwyo eglwysi i ddefnyddio arian llonydd i brynu tai er mwyn cynnig cartrefi i bobl fregus. Dethlir yr hanner canfed tŷ y mis hwn, ac ynddynt cartrefir 120 o bobl fregus a hynny mewn partneriaeth gyda 46 o eglwysi. Ceir hanes am ddyddiau cynnar yr asiantaeth yn cychwyn pan etifeddodd aelod o eglwys ddigon i brynu tŷ, ac mewn cydweithrediad gyda'i eglwys yn estyn cefnogaeth i'r anghenus lleol. Prin bod pob eglwys yn medru gwneud hyn, a byddai gofyn am drefniadau clir cyn bod cyfalaf eglwysi yn medru addasu tŷ a chynnig y gofal priodol. Yn ddi-os, dyma faes y gallai llawer o eglwysi ei ystyried os ydynt wedi gwerthu adeiladau a derbyn symiau sylweddol o gyfalaf. Pan fydd eglwysi yn etifeddu arian, yna mae drysau felly yn agor i roi'r Gair ar waith a byw y ffydd.

Gweddi

Diolch am waith y mudiadau dyngarol sy'n mentro mewn ffyrdd dychmygus a chreadigol. Cywilyddiwn ein bod yn arfer ansicrwydd yn hytrach na gweld ein cyfle i fod yn fwy ymarferol. Gweddïwn am arweiniad i droi pryder yn hyfdra a geiriau yn weithredu. Amen.

Cristnogion yn erbyn tlodi

Gweddi
Nefol Dad, diolch am y bendithion tymhorol sydd gennym, ac nad oes rhaid i ni ofni o ble y daw ein pryd bwyd nesaf, ond cyfaddefwn bod yna demtasiwn parhaol i addoli'r materol ac esgeuluso'r ysbrydol. Yn y myfyrdod hwn, dyro i ni wyleidd-dra a haelioni, gan ddiolch i'r sawl sy'n gweithio o blaid y gwan yn dy enw a chan ddilyn dy egwyddorion di. Amen.

Darlleniad: Luc 3: 7–14
'Rhaid i'r sawl sydd ganddo ddau grys eu rhannu ag unrhyw un sydd heb grys.' (adnod 10)

Cyflwyniad
Mae'r Beibl yn portreadu hanes un genedl yn arbennig, a bydd yr Hebreaid /Iddewon yn gweld eu hunain fel pobl arbennig gan eu bod mewn cyfamod gyda Duw. Byddai'n hawdd tybio y byddent yn disgwyl breintiau a phrofi cyfoeth ac anrhydedd, ond nid felly y bu. Nodweddir bywydau'r Iddewon â digartrefedd a thlodi am gyfnodau helaeth o'u hamser. Roedd cylch o saith mlynedd yn bwysig i'r Iddew, a byddai saith cylch o saith yn nodi'r flwyddyn cyn yr hanner canfed blwyddyn. Rhan o ddysgeidiaeth gynnar yr Israeliaid oedd bod y flwyddyn honno yn Jiwbilî. Disgwyliad yr Israeliaid fyddai dileu dyled a rhyddhau caethweision a charcharorion yn y flwyddyn honno. Roedd maddeuant yn fynegiant o drugaredd Duw. Disgwylid y byddai egwyddorion y Jiwbilî yn cael eu harfer ar ben y seithfed blwyddyn, gan nad oedd budd i unrhyw un barhau yn ddyledwr neu yn gaethwas. Mae'n siŵr bod digon o enghreifftiau Beiblaidd lle nad oedd hyn wedi digwydd, ond yn Lefiticus 25 ceir crynodeb o'r egwyddor hon.

Yn y Testament Newydd ceir lluniau rhyfeddol o dlodi a phobl ar eu cythlwng. Wrth i Ioan Fedyddiwr gyhoeddi cyfnod o chwyldro a dyfodiad Iesu, mae'n galw am newid agwedd meddwl, ac mae'n dyfynnu'r meddylfryd Jiwbiliaidd o rannu ac ymatal rhag dial a phoenydio, fel y gwelir yn y darlleniad. Mae ymateb Iesu i'r gŵr ifanc cyfoethog yn ei gymell i werthu popeth oedd ganddo a'i roi i'r tlodion er mwyn cael y fendith nefol yn ysgytwol (Luc 18). Nid casglu cyfoeth oedd amcan bywyd, ond profi cymundeb gyda Duw.

Myfyrdod

Bydd llawer o gyrff Cristnogol yn ymwybodol o arswyd tlodi ar unigolion a chymunedau, ac un o'r mudiadau hyn yw Cristnogion yn erbyn Tlodi – Christians Against Poverty (CAP). Yng Nghaerdydd, mae'r eglwys fywiog Vineyard yn noddi'r gwaith ac yn cyflawni llawer o gymwynasau gwerthfawr. Byddant yn derbyn rhoddion ariannol er mwyn benthyg arian i'r sawl sydd mewn dyled ar y naill law a derbyn eitemau fel celfi ar y llaw arall. Ceir hanesion trist am bobl heb fodd i brynu celfi sylfaenol ac mae CAP yn cynnig hyfforddiant ac addysg i'r sawl sydd mewn angen. Gellir dysgu mwy drwy ymweld â www.capuk.org/churchpartnership.

Mae'n siŵr bod rhai yn mynd i ddyled oherwydd esgeulustod a diffyg trefn ar eu gwariant personol, ond i lawer iawn, diffyg incwm i gynnal y gofynion sylfaenol sydd yn greiddiol i'r gofid. Ni all cymdeithas wâr fod yn waraidd tra'i bod yn ddi-hid o dlodi cynyddol. Ateb y gorffennol oedd troi pobl i'r tloty a'r amgylchiadau erchyll yno. Anfonwyd rhai i Awstralia am ddwyn dafad ganrif a hanner yn ôl, a hynny er mwyn bwydo teulu. Bu teuluoedd yn byw mewn slymiau heb fodd i godi allan o'r trybini a hynny yn ei dro yn arwain at afiechyd a thorcyfraith.

Gweddi

Trugarha wrthym Arglwydd wrth i ni roi cymaint o fryd ar gyfoeth materol heb feddwl am sefyllfa'r tlodion mewn gwlad a byd. Gwyddom fod disgwyl i ni roi yn hael a pheidio dal gafael ar yr hyn sy'n faterol ei natur. Amen.

Estyn Rhodd

Gweddi

Nefol Dad, yr hwn sy'n gweld angen ymhlith pobl o bob haen gymdeithasol, ceisiwn dy arweiniad heddiw wrth i ni feddwl am y ffyrdd mwyaf effeithiol o drin yr arian sy'n ein meddiant. Maddau i ni pan fyddwn yn byw i arian yn hytrach na gweld arian fel ffordd o hyrwyddo bywydau pobl yn gyffredinol. Byddwn yn dueddol o wybod pris popeth heb feddwl beth yw gwerth unrhyw beth go iawn. Rho i ni weld eiddo fel adnodd ac nid fel arwydd o statws unigolyn. Amen.

Darlleniad: Deuteronomium 15: 1–11

Cyflwyniad

Bydd cyfeiriadau ym mwyafrif adrannau'r Beibl at dlodion mewn rhyw fodd neu'i gilydd, naill ai drwy gyfeirio atynt fel haen gymdeithasol neu at sefyllfaoedd unigol heb fodd i ofalu am eu buddiannau eu hunain. Yn Deuteronomium, llyfr sy'n cynnig canllawiau moesol ac ysbrydol ac yn cynnig cyfarwyddyd i'r Hebrewyr ar y modd o ymddygiad cyfrifol, nodir beth oedd goblygiadau'r seithfed blwyddyn o ddileu dyled a maddau bai. Eironi Iddewiaeth yw'r modd mae'n cynnig arweiniad clir ar sut i geisio osgoi tlodi a thrafod y tlodion ar y naill law, a'r modd mae rhai wedi medru casglu cyfoeth a dylanwad ar y llaw arall. Mewn crefyddau eraill megis Hindwaeth, maent yn dadlau y dylid gadael y tlodion fel y Dalit yn India. Ystyr y gair iddynt yw'r 'gorthrymedig', ac nid oes anogaeth i'w cynorthwyo. Cred sylfaenol y grefydd honno yw gadael iddynt farw, ac yna pan fyddant yn cael eu geni mewn corff arall byddant yn cael statws uwch am iddynt fod yn bobl Dalit dda. Anogaeth yr Iddew, y Cristion a'r Mwslim yw estyn allan at y tlawd a'u cefnogi.

Un peth yw datganiadau cyfundrefn grefyddol, peth arall yw ei gweithredu. Yn Mathew 6 gosodir y ddysgeidiaeth ar roi i elusen wrth ochr y ddysgeidiaeth ar weddi. Yn Luc 12: 13–34 clywn Iesu yn negyddu'r pwyslais ar gasglu cyfoeth gan bwysleisio mai dros dro bydd cyfoeth gennym. Dywed yn hytrach fod angen meddwl mwy am y 'trysor yn y nefoedd'.

Myfyrdod

Yn yr uned ddiwethaf rhoddwyd sylw i CAP, Christians Against Poverty, a'r sylw cyson bod modd i'r eglwys drefnu i roi bwyd a dillad i'r sawl sy'n anghenus. Yn hanes yr Eglwys LEC yn Sefika, ceir enghraifft o roi yn fwy uniongyrchol i bobl mewn angen. Derbyniwyd neges oddi wrth gynrychiolydd o Undeb y Mamau, mudiad sy'n hynod o ofalus o eraill, ar ôl derbyn mil o bunnoedd oddi wrth gyfeillion y Tabernacl, Caerdydd, i gynorthwyo'r mwyaf difrifol o dlodion eu cymunedau. Gwelir yno eu gwerthfawrogiad o'r help a gawsant. Mae'n anodd i ni, sy'n byw mewn gwladwriaeth a system nawdd cymdeithasol, ddychmygu byw mewn tlodi mewn gwlad heb y fath freintiau. Mae'r eglwysi mewn gwledydd fel Lesotho yn chwilio am ffyrdd effeithiol o weithredu.

Gwelir enghreifftiau lu o gymorth uniongyrchol oddi wrth yr eglwysi mewn gwledydd eraill hefyd fel Zambia lle bydd eglwysi yn estyn rhodd ac yn awyddus i brofi bod yr arian a drosglwyddir wedi mynd i'r math o bobl sy'n deilwng ohono. Mater personol yw peidio brolio rhodd elusengar, ond bydd eglwysi fel yr LEC yn awyddus i ddangos eu bod yn trafod arian mewn ffordd sy'n gyfrifol a thryloyw.

Gweddi

Diolch am waith Undeb y Mamau yn Sefika, yn derbyn eu cyfrifoldeb i gynorthwyo eraill ac i fod mor deg ag sy'n bosibl. Diolch am yr arian a ddaeth i law drwy'r Tabernacl, ac am y modd y rhannwyd yr arian yn Lesotho. Mae'n braf clywed bod y sawl a dderbyniodd yr arian hwn yn ei weld fel rhodd a ddaeth gennyt. Clod i'th enw. Amen.

Blychau Cariad

Gweddi

Dduw pob rhodd werthfawr, nesawn atat o'r newydd a gofyn am dy gymorth i wneud hynny. Sylweddolwn fod rhoi yn well na derbyn yn aml, a diolchwn yn feunyddiol am i ti roi ohonot dy hun mewn sawl dull a modd, yn arbennig yn Iesu Grist. Amen.

Darlleniad: Mathew 6: 1–4

Cyflwyniad

Dywedir bod 90% o Iddewon ym Mhrydain yn estyn rhoddion i elusennau, sydd yn ôl yr ystadegwyr yn ganran uwch nag unrhyw grŵp arall o bobl. I'r Iddew, bydd haelioni felly yn ddyletswydd moesol, ac nid yn opsiwn cyffredinol. Y gair mewn Hebraeg clasurol yw 'Tzedakah' – sy'n cyfieithu fel 'cyfiawnder' ac yn glwm â'r syniad o 'wneud elusen'. Cyfeiriwyd mewn uned flaenorol at wefan 'Just Giving', ond byddai'r Iddew cydwybodol am hawlio bod y ddau air yn gyfystyr. Yn nechrau'r darlleniad ceir awgrym clir gan Iesu bod rhai yn gwneud hynny yn weledol gyhoeddus, a bod angen gochel rhag syrthio i'r fagl honno. Mae Iesu yn cyfeirio at y rhoi fel na fydd un llaw yn gwybod beth mae'r llall yn ei wneud. Nid mater o hunan fodlonrwydd yw rhoi elusengar ond greddf ddidwyll di-froliant.

Pan fydd Iesu yn sôn am rannu a bod y person sydd â dwy gôt yn rhoi un i'r person sydd heb gôt, bydd y sawl sy'n rhoi ei fryd ar gyfoeth yn gwingo mae'n siŵr. Nodwyd bod yr Eglwys Fore yn gweithio ar ddealltwriaeth o fod popeth yn eiddo cyffredin. Egwyddor sylfaenol i Iddewiaeth yw degymu, sef bod pawb yn rhoi degfed rhan o'u hincwm i'r synagog. Bu'n arfer gan Gristnogion i ddilyn yr un egwyddor, a thrafododd y Parch. Ifor Williams hyn yn ddiweddar yn ei lyfr *Open Hands, Open Heart*. (Cyhoeddwyr – Generous Heart, 2017.)

Myfyrdod

Mewn uned flaenorol am roddion i Romania, nodwyd bod yr eglwys ar waith yn cynnwys cefnogi asiantaethau sy'n trefnu i estyn rhoddion penodol, yn hytrach na rhoi arian yn unig. Yn ystod mis Hydref byddwn yn cofio am waith y Samaritan's Purse, a'u hapêl hwy am flychau o roddion penodol sydd wedi eu lapio gyda phapur Nadoligaidd ei wedd. Byddwn yn gyfarwydd â'r gofyn, sef rhoi anrhegion syml i blant o oed penodol. Bydd y rhoddion yn gymysgedd o ddillad, offer ymolch, deunydd ysgrifennu, teganau meddal ac ati, a hynny mewn hen focs esgidiau.

Pan ddaw lluniau o blant yn agor y blychau hyn bydd yna syndod a llawenydd gan eu bod yn blant mewn ardaloedd cwbl ddifreintiedig yn Nwyrain Ewrop yn bennaf. Bellach mae Samaritan's Purse wedi lledu eu gweithgareddau i rannau o'r Affrig hefyd. Gweler www.samaritanspurse.org.uk am fwy o wybodaeth.

Gwelsom symud meddwl yn nifer fawr o wledydd cyfoethog y byd at agweddau hunanol wrth drin eiddo, a barn bersonol fydd hi wrth ddewis llywodraeth. Ceir digon o enghreifftiau o gyfalafiaeth a chomiwnyddiaeth yn llwyddo ac yn methu, ond oddi mewn i'r sustemau gwleidyddol mae angen lle ar bobl i fod yn hael ac ystyrlon o anghenion eraill. Bydd cerdded y daith tuag at y Nadolig yn ein herio ar sawl lefel, ac nid y lleiaf ohonynt yw ystyried ein hewyllys ni i wneud cyfiawnder. Cofiwn ystyried apêl 'Blychau Cariad' eleni.

Gweddi

Arglwydd, trugarha wrthym yn ein hunanoldeb a maddau i ni am feddwl bod derbyn a meddwl amdanom ein hunain yn bwysig. Diolch am berthyn i eglwys ac am yr ymwybod o weld angen pobl eraill yn gyson. Diolch am wasanaeth staff Samaritan's Purse, ac am bob rhodd yn enw 'Blychau Cariad' sydd yn cael ei ddarparu eleni. Boed iddynt roi gwên ar wynebau plant difreintiedig ein byd y Nadolig hwn. Amen.

Masnach Deg

Gweddi
Arglwydd, rydym yn clywed cri yr anghenus bob dydd ac yn ei chael yn anodd meddwl beth i'w ddweud a'i wneud. Helpa fi i weld y cysylltiad rhwng tlodi pobl eraill a'n ffordd ni o wario arian. Amen.

Darlleniad: Iago 5: 1–6; Salm 12: 5
'Ond meddai'r Arglwydd: "Am fod yr anghenus yn dioddef trais, a'r tlawd yn griddfan mewn poen, dw i'n mynd i weithredu. Bydda i'n ei gadw'n saff; ie, dyna mae'n dyheu amdano." ' (Salm 12: 5 beibl.net)

Cyflwyniad
Gellir dod o hyd i adrannau helaeth o'r Beibl sy'n nodi cwynion pobl am anghyfiawnder a thlodi. Yn amlach na pheidio mae'r llais sy'n cwyno yn galw ar i Dduw unioni'r cam a darparu ar ei gyfer. Ceir sawl brawddeg yn y salmau sy'n enghreifftiau teg o hynny. Darllenwn hefyd yn y salmau ddeialog megis mewn drama, rhwng y Salmydd a Duw, sy'n enghreifftiol o lenyddiaeth yr Iddew yn ei ddeisyfiad am degwch ac yn ei ddatgan o'i ymddiriedaeth yn Nuw. I'r sawl sy'n cofio un o'r unawdau yn *Fiddler on the Roof* lle mae Tevye, y prif gymeriad, yn gwneud ei ddeisyfiad 'Pe bawn i'n gyfoethog', clywn adlais o gri y Salmydd yn cwyno ar y naill law ac yn ymddiried ar y llaw arall.

I ba raddau mae tlodion difreintiedig byd yn llawn dyheadau tebyg ac angen cymorth i'w gwireddu? Noda Iago yn ei epistol fod Duw yn clywed ac yn addo gwarchod a darparu ar gyfer y sawl sydd wedi cael cam. Gwelir digon o enghreifftiau yn yr efengylau lle mae Iesu yn unioni cam ac yn 'Air ar Waith'. Iesu sy'n cymell ei wrandawyr i weithredu'r ffydd drwy gynorthwyo'r difreintiedig yn nameg y defaid a'r geifr (Mathew 25).

Myfyrdod
Ers degawdau bellach, buom yn ymwybodol o bwysigrwydd hyrwyddo Masnach Deg er mwyn calonogi cynhyrchwyr nwyddau mewn gwledydd tlawd. Bu lobïo helaeth yn ystod y 1980au a'r 1990au er mwyn ceisio

sicrhau bod y gwledydd cyfoethog yn helpu'r gwledydd tlawd i helpu eu hunain. Un o'r cynnyrch cyntaf i gael sylw oedd coffi ac erbyn hyn mae ystod eang o fwydydd a nwyddau eraill ar gael yn ein siopau, a hefyd mewn siopau sy'n canolbwyntio ar nwyddau Masnach Deg. Yn ystod mis Chwefror cynhelir pythefnos o gyhoeddusrwydd penodol ond, mewn gwirionedd, bydd y flwyddyn gyfan yn adeg i'r cyhoedd feddwl wrth brynu. Gwelir logo Masnach Deg ar y nwyddau er mwyn dangos eu bod wedi cael eu cynhyrchu'n gyfrifol ac nad oes llafur rhad wedi cael ei ddefnyddio i gynaeafu neu gynhyrchu'r nwyddau hyn.

Mwy na thebyg y bydd canran sylweddol ohonom yn llawn bwriadau da, ond yn codi'r nwyddau sydd eu hangen arnom heb sicrhau bod y bathodyn priodol yn cael ei arddangos. Mae llawer o eglwysi yn gwerthu nwyddau sy'n cael eu marchnata'n deg, a gellir dysgu mwy drwy fynd ar wefan fel Masnach Deg neu ddarllen mwy am gwmni fel Traidcraft.

Mae Traidcraft yn prynu'r nwyddau am bris sy'n cael ei ystyried yn deg i'r prynwr a'r cynhyrchydd, gan dderbyn y gall fod ychydig yn uwch na'r pris am nwyddau tebyg nad oes gwarant eu bod wedi cael eu cynhyrchu gan bobl sy'n cael cyflog teg am eu gwaith. Gellir ffonio 0191 491 0591 am fwy o wybodaeth, ac mae Traidcraft yn darparu llawer o adnoddau ar gyfer cynnal oedfaon ar achlysuron a gwyliau eglwysig.

Gweddi

Diolch Arglwydd dy fod yn Arglwydd teg a chyfiawn, a gwerthfawrogwn y gwaith a wneir yn dy enw o blaid y gwan ledled byd. Agor ein llygaid wrth i ni siopa am fwyd i chwilio am y labeli priodol ac i wneud hynny gan gofio geiriau Iesu pan ddywedodd, 'Pan wnaethoch chi helpu'r person lleiaf pwysig sy'n perthyn i mi, gwnaethoch chi fy helpu i.' Amen. (Mathew 25: 40 beibl.net)

Bugeiliaid y Stryd

Gweddi

Arglwydd Iesu, gelwaist ni i garu cymdogion a gelynion, a gwerthfawrogwn na all pawb fentro allan ar y strydoedd i gwrdd â'r bobl sydd dan ddylanwad alcohol a chyffuriau. Yn ystod ein myfyrdod heddiw, helpa ni i feddwl am ein cymunedau lleol ac i ofyn sut y gallwn fyw y Gair yn dyner ac yn effeithiol. Amen.

Darlleniad: Philipiaid 2: 1–11

'Bydded gofal gan bob un ohonoch, nid am eich buddiannau eich hunain yn unig ond am fuddiannau pobl eraill hefyd.' (adnod 4)

Cyflwyniad

Ceir llu o adnodau yn y Beibl yn sôn am ofalu dros eraill, a defnyddir delwedd y bugail. Ym mhennod olaf Llythyr Cyntaf Pedr, ceir adnod sy'n dweud 'Bugeiliwch braidd Duw', ac mae'r cymhelliad i ddangos consyrn dros ein gilydd yn reddf naturiol yn yr Eglwys. Sefydlwyd y grŵp cyntaf o Fugeiliaid y Stryd gan y Parch. Les Isaac yn Brixton yn 2003. Roedd yntau wedi codi'r syniad o Jamaica lle roedd yr eglwys yn mynd allan i'r stryd a dangos gofal dros y bobl yno. Erbyn 2006 roedd 70 o ardaloedd ym Mhrydain wedi efelychu'r patrwm, ac yn 2015 roedd 270 o ganolfannau gofal. Defnyddir y Tabernacl fel canolfan yng nghanol dinas Caerdydd, gyda'r heddlu a'r bugeiliaid yn defnyddio'r festri fel canolfan a lloches. Defnyddiwyd y capel fel lleoliad i gynnal eu cynhadledd flynyddol ym Mehefin 2016. Ceir nifer dda o grwpiau Bugeiliaid y Stryd ledled Cymru bellach.

Gwahoddir unrhyw Gristion sydd dros 18 oed i gofrestru a derbyn hyfforddiant i fod yn un o'r bugeiliaid, ac i fynd allan mewn grwpiau o ddau neu dri er mwyn helpu'r sawl sydd mewn perygl wrth i dafarndai a chlybiau nos gau. Gwisgant siaced las gyda'r enw Street Pastors yn amlwg ar y gôt a'r benwisg. Byddant yn estyn cefnogaeth i'r sawl sy'n fregus a'u harwain at fws neu dacsi, rhoi fflip-fflops i ferched os ydynt yn methu cerdded yn ddiogel, poteli dŵr, blanced rhag yr oerfel ac amserlen bysiau os yw hynny'n briodol. Arwyddair y corff yma yw 'Gofal, gwrando a helpu'. Nid oes gan y bugeiliaid hyn unrhyw awdurdod cyfreithiol ac nid ydynt i efengylu yn uniongyrchol chwaith. Dywed yr heddlu yng Nghaerdydd fod achosion 'restio' pobl wedi gostwng o 60% o'r hyn yr arferai fod. Bydd y grwpiau allan yn gyson ar nosweithiau Gwener a Sadwrn a hefyd pan fydd nosweithiau amlwg gan y myfyrwyr i grwydro tafarndai.

Myfyrdod

Mae'n amhosibl gwybod beth yw ymateb y bobl sy'n derbyn gofal fel hyn yng Nghaerdydd neu unrhyw leoliad arall. Beth tybed ddywedodd y sawl a syrthiodd i blith lladron yn nameg y Samariad Trugarog? Gallai fod yn ymarfer diddorol i ni ysgrifennu portread o'r person hwnnw yn y ddameg wrth iddo adrodd ei brofiadau wedi dychwelyd adref!

Edrydd y wasg hanesion merched yn bennaf yn gor-yfed, heb fawr o reolaeth drostynt eu hunain, ac efallai i un benderfynu mynd allan am wynt, neu chwilio am fodd i fynd adref ar ei phen ei hun, a chael ei threisio. Bydd Bugeiliaid y Stryd yn ofalus iawn o bobl felly. Sefyllfa arall a all godi yw ffrwgwd rhwng dau, ac wrth eu harwain ar wahân i'w gilydd gellir osgoi sefyllfa lle byddai angen i'r heddlu ymyrryd. Os bydd sefyllfa yn ffrwydrol, yna bydd yr heddlu yn camu i mewn. Mae sgwrs dawel gyfeillgar yn sicr yn well nag unrhyw ddewis arall o ddatrys y sefyllfaoedd hyn, ac enillodd y bugeiliaid lawer o barch, a hynny fel Cristnogion gweithredol yn byw y Gair.

Gweddi

Diolch Arglwydd am alw pobl i weithredu fel Bugeiliaid y Stryd ac am eu harfogi â gras a chariad. Clodforwn dy enw di am bob arwydd o ofal a chonsyrn yn nhywyllwch nos mewn trefi a dinasoedd ledled gwlad a byd. Agor ein llygaid i geisio modd i fod yn wrandawyr ymarferol a byw y Ffydd drwy ofalu am eraill. Amen.

Yr Ystafell Fyw

Gweddi

Drugarog Dduw, diolch i ti am bob enghraifft a gofnodwyd yn yr Efengylau lle roedd Iesu yn treulio amser gyda'r bobl a oedd ar ymyl dalen cymdeithas. Yn aml roeddent yn bobl ddibwys i'r sefydliadau crefyddol ac yn anabl i gynnal eu hunain. Diolchwn heddiw am yr asiantaethau hynny sydd yn enw Iesu yn ymestyn dwylo i gyfeiriad y dioddefwyr yn ein cymunedau ac yn dangos bod pawb yn werthfawr. Amen.

Darlleniad: Marc 5: 1–20

Iacháu Lleng

Cyflwyniad

Bu'r traddodiadau crefyddol ar draws y byd yn effro i ddyn yn ei nerth a dyn yn ei wendid. Yn aml, byddai'r gwan a'r bychan yn cael eu dibrisio am eu bod angen mwy o sylw ac y byddai'r person mewn awdurdod, boed yn bennaeth llwyth neu yn arweinydd milwrol a gwleidyddol, yn chwilio am y cryf a'r cadarn. Felly bu hi erioed mewn pob math o ddiwylliannau, ac efallai fod hanes y Drydedd Reich yn yr Almaen yn dilyn y Rhyfel Byd Cyntaf, a'r pwyslais ar yr Ariaiad cydnerth gwallt golau, yn amlwg. Ond am y sawl a fyddai yn wahanol, neu fel yr Iddewon yn faterol llwyddiannus ond yn fygythiad i ddelfrydiaeth y Drydedd Reich, yna roedd eu gwared yn dderbyniol i gefnogwyr Hitler.

Un o'r ffenomenau rhyfeddaf am Gristnogaeth yw'r modd mae'n derbyn y gwan a'r brau, y cleifion a'r henoed. Bydd hi'n hawdd dod o hyd i enghreifftiau o drugaredd Iesu tuag at y difreintiedig a'r diymadferth yn y gymdeithas. Mae'n ddiddorol fel roedd Iesu yn gweld y cymeriad o'r enw Lleng yn ymddwyn yn gwbl afreolus ac yn deall beth oedd achos ei gyflwr a'i ymddygiad. Fel gyda'r sawl a ddioddefai afiechydon corfforol, roedd Iesu yn medru adfer y cleifion â doluriau seicolegol neu seicopathig hefyd.

Myfyrdod

Yn yr Ystafell Fyw, Caerdydd, fel mewn mannau tebyg, y nod yw cynorthwyo'r dioddefwr i dderbyn ei gyflwr a chwilio am feddyginiaeth. A oes yna unrhyw un y byddwn yn ei osgoi neu dybied iddynt fod tu hwnt i'w adfer? A gytunwch mai mesur cymdeithas wâr yw'r modd mae'n gofalu am y cleifion a'r oedrannus, y diniwed a'r dioddefus?

Rhan o her ein hoes yw ymateb i'r modd mae dioddefwyr salwch alcohol a chyffuriau angen cefnogaeth a chydymdeimlad gwlad ac eglwys. Gwir yw bod yna salwch sy'n ddibynnol ar bethau eraill hefyd fel pornograffi neu gamblo, a bod angen trin y dioddefwyr hyn hefyd. Ceir sawl asiantaeth sy'n ymestyn allan tuag at y dioddefwyr hyn ac yn chwilio am ffyrdd i'w helpu. Prin yw'r alcoholig sy'n dioddef o'r caethiwed hwn oherwydd ei flys am alcohol. Mae yna wreiddyn dyfnach yn ei enaid am rywbeth arall, ac mae'r eglwys sy'n ceisio byw y Gair am weld gwerth ym mhob unigolyn a chredu nad oes yr un person sydd tu hwnt i adferiad.

Un o eironiau y ddwy flynedd ddiwethaf yw'r modd y gwnaeth arweinyddiaeth wleidyddol yr Almaen agor eu drysau i'r ffoaduriaid, gan dderbyn bod yna bris i'w dalu yn wleidyddol ac yn economaidd. Yr ochr arall i'r ddalen, fod y werin Almaenig a ddioddefodd farbareiddiwch Hitleriaeth wedi codi yn erbyn y llywodraeth bresennol mewn ton o hunanoldeb. Mae'n amhosibl distyllu pam y bu i bobl Prydain bleidleisio drwy fwyafrif bychan i adael yr Undeb Ewropeaidd, ond un o'r dadleuon mwyaf amlwg oedd y gri i gyfyngu ar y mewnlifiad o Ewrop a mannau eraill. Mater economaidd a gwleidyddol oedd y refferendwm yn 2016, ond wrth drafod goblygiadau'r penderfyniad i adael yr Undeb mae cwestiynau crefyddol pwysig sy'n gofyn beth yw mesur ein trugaredd a'n cariad brawdol.

Gweddi

Diolch Arglwydd am bob gofod byw yn ein byd, ac am Efengyl sy'n galw pobl i fywyd ac i obaith. Credwn i ti ddangos gwerth ym mhawb ac i Iesu farw dros holl drigolion daear. Agor ein clustiau i wrando o'r newydd ac i fyw y ffydd a blennaist yn ein calonnau. Amen.

Cymdeithas y Cymod

Gweddi

Dywysog Tangnefedd, plygwn ger dy fron a cheisio dy fendith a'th arweiniad heddiw. Helpa ni i feddwl o'r newydd am bwysigrwydd y dadleuon dros ymwrthod â thrais ac i annog y byd i faddau bai ac ymarfer trugaredd. Amen.

Darlleniad: 2 Corinthiaid 5

Cyflwyniad

Nid yw pob adran o'r Eglwys yn heddychwyr a gwyddom am lawer o Gristnogion amlwg a dderbyniodd ddilysrwydd rhyfel. Cofir am y Rhyfeloedd Sanctaidd yn ystod yr Oesoedd Canol, a rhoddodd y sefydliadau Cristnogol eu bendith ar ryfel. Bu llawer o weinidogion ac offeiriaid yn gwasanaethu yn y Lluoedd Arfog fel Caplaniaid, a dadleuir bod canran uwch o aelodau'r Lluoedd Arfog yn Gristnogion nag sydd yn y cyhoedd yn gyffredinol.

Dyma a ddywedir ar wefan Cymdeithas y Cymod: 'Mae Cymdeithas y Cymod yn rhan o fudiad heddwch rhyngwladol IFOR (*International Fellowship of Reconciliation*) sydd â changhennau ar draws y byd ac yma yng Nghymru. Mae'r aelodau yn wrthwynebwyr cydwybodol i ryfel a thrais. Credwn mewn dulliau di-drais o ddatrys gwrthdaro, gan weithio dros heddwch. Mae bod yn heddychwr yn golygu tystio'n barhaus i'r byd fod grym cariad yn gryfach na grym arfau, a bod casineb a dial yn arwain at ddistryw. Gwrthwynebwn drais ar bob lefel mewn cymdeithas gan gynnwys trais yn y cartref, trais yn erbyn lleiafrifoedd yn ein cymdeithas, a thrais ar lefel ryngwladol.

'Sefydlwyd Cymdeithas y Cymod yn 1914 gan wrthwynebwyr cydwybodol i ryfel ar sail eu cred Cristnogol. Erbyn heddiw mae wedi datblygu i fod yn fudiad aml-ffydd o heddychwyr gyda chenhadaeth ysbrydol i atal gwrthdaro a chreu cyfiawnder ar sail eu cred yng ngrym cariad Duw. Mae'r aelodau yn ceisio byw bywyd di drais, gan ymdrechu i greu trawsnewid personol, cymdeithasol, economaidd a gwleidyddol.'

Bu Cymdeithas y Cymod yn ymateb yn gyson i ddatganiadau a datblygiadau rhyfelgar, ac yn ddiweddar buont yn hyrwyddo ymgyrchoedd yn erbyn yr 'Adar Drycin' a 'Ffeiriau Arfau'. Cynhelir cyfarfodydd yn gyson lelled Prydain gyda chelloedd yng Nghaerdydd.

Myfyrdod

Prin bod Paul yn ymwybodol o ddadleuon tebyg i'r rhai sydd yn cynnal safbwyntiau megis Cymdeithas y Cymod heddiw. Byddai Paul yn effro i densiynau rhwng pobl a'i gilydd, a hynny ar lefel bersonol neu o fewn i'r cymunedau lleol fel yng Nghorinth. Craidd meddwl Paul fyddai bod angen i'r cymunedau Cristnogol geisio cymod rhwng yr elfennau cosmopolitanaidd mewn mannau fel Corinth, Philipi a Rhufain. Nid hyrwyddo achos pobl o un genedl yn erbyn pobl o genedl arall, ond fod angen i Gristnogion o dras Iddewig fod ar yr un donfedd â Christnogion o dras Rhufain, Corinth a Philipi.

Addasu hyn wnaeth y mudiadau heddwch gan ddadlau nad oes budd mewn rhyfeloedd yn gyffredinol na lladd pobl yn benodol. Roedd Martin Luther King wedi deall nad oedd unrhyw beth i'w ennill drwy gynnal gelyniaeth rhwng y du a'r gwyn, a bu ei bregeth olaf yn destament i'w fywyd o hyrwyddo yr achos di-drais. Prin byddai pawb am enwi Martin McGuinness yn yr un paragraff â Martin Luther King, ond deëllir iddo droi oddi wrth filitariaeth tuag at ffurfiau democrataidd o frwydro dros ei achos, gan gydnabod nad trwy ddulliau trais mae ennill y dydd. Dyna oedd dulliau Mahatma Gandhi wrth ennill India yn ôl i lywodraeth ddemocrataidd pobl y wlad, a beth bynnag yw gwendidau India heddiw, mae ei diolch i Gandhi am arwain yr ymgyrchu dros hunanlywodraeth.

Gweddi

Diolch Arglwydd Dduw am bobl hedd ein byd, a'u crwsâd dros eu hachos heb dybied mai'r bwled a'r bom yw'r unig ffurf o ennill achos a chyfiawnder yn y byd. Helpa ni i brofi hedd yn ein henaid a gobaith yn y galon. Amen.

Gweinidogaeth Ymweld

Gweddi
Yn ein myfyrdod heddiw Arglwydd rydym yn diolch am bobl sy'n rhoi blaenoriaeth i eraill ac yn rhan o rwydwaith gofal yn ein bro ac ar lwyfan byd. Helpa ni i gofio wastad bod Iesu yn rhwydweithio pobl gyda'i gilydd ac am i ni fod yn ddolennau gwerthfawr yn ei enw ef. Amen.

Darlleniad: Luc 10: 38–42

Cyflwyniad
Sonnir bod Iesu yn llwyddo'n eithriadol i greu a chynnal cyswllt gyda phobl, ac yn yr Efengylau nodir iddo wneud hynny yn amlach na pheidio drwy ymweld â theuluoedd, fel yn hanes Mair a Martha, neu gydag unigolion. Ceir digon o enghreifftiau lle mae'n deall meddwl ac angen yr unigolyn, ac yn cynnig rhywbeth amgenach iddynt na bod yn ffrind da yn unig. Yn hanes Sacheus a Lleng ceir cyfeirio at ddirnadaeth Iesu o berson mewn ffordd nad oedd yn bosibl i'r dyn cyffredin.

Nodir hanes Paul yn ymweld â chynulleidfaoedd penodol, ac yn yr Epistolau Bugeiliol daw adnodau cyfarwydd a threiddgar i'r cof lle roedd yr eglwys yn amgyffred ei gwaith a'i chyfrifoldeb yn estyn allan i'r byd.

Cyfeirir at swyddogion eglwysig fel bugeiliaid, a bydd ambell draddodiad enwadol yn rhoi'r teitl 'bugail' i'w prif swyddog. Bydd y drefn Seisnig yn barotach i ddefnyddio'r teitl 'pastor' gan danlinellu'r cyfrifoldeb hwnnw. Bydd yr enwadau anghydffurfiol yn pwysleisio ein bod yn hyrwyddo 'gweinidogaeth yr holl saint', a bod rhai yn cael eu galw i weinidogaethau penodol a bod pawb â doniau sy'n ddefnyddiol i fywyd eglwys.

Myfyrdod
Un o gyfrifoldebau amlwg y weinidogaeth yw ymweld â'r sawl sy'n aelodau a bod yn effro i'w hanes a'u hanghenion. Mae dal cyswllt gyda phobl brysur sy'n byw mewn dinas mor wahanol i wneud hynny mewn ardal bentrefol neu wledig, er bod y gofynion neu'r disgwyliadau yn

aros yr un. Arferai'r tadau ddoe ddweud bod ymweld yn waith ac nid yn ddigwyddiad achlysurol, ac nad hamdden mohono. Rhoir y pwyslais ar fraint y gwaith ac na ddylid ei weld fel dyletswydd. Bydd y mwyafrif o weinidogion ac offeiriaid yn cyfaddef nad ydynt yn llwyddo cystal ag y disgwylid, beth bynnag fyddo'r rhesymau.

Serch hynny erys ymweld a chadw cyswllt fel rhan o waith yr eglwys gyfan, ac nid gwaith unigolyn mohono. Bydd galw heibio'r unig a'r llesg yn rhan o waith pob aelod sy'n medru gwneud. Mae'r swyddogaeth broffesiynol yn amlwg, ac mae'r 'bugail' yno, nid fel dyn ffeind a chwmnïwr diddan, ond fel cynrychiolydd Crist yn y sefyllfa honno. Ceir darpariaeth fugeiliol mewn sefyllfaoedd penodol fel ffatri neu ysbyty, carchar neu goleg. Yr hyn sydd angen ei bwysleisio yw bod pob ymwneud rhwng pobl a'i gilydd yn bwysig a gwerthfawr, ac wrth i'r Cristion gyfarfod ag eraill ei fod yn cyflwyno Crist.

Gweddi

Arglwydd Iesu, diolchwn am gwmni pobl rydym wedi eu cyfarfod ar daith bywyd sydd wedi bod yn gwmni gwerthfawr i ni. Arwain ni heddiw i fod yn gwmni i bobl eraill, yn arbennig y sawl sy'n unig a llesg yn ein bro. Amen.

Drama'r Nadolig

Gweddi

Diolch i ti Roddwr Bywyd am y rhodd o Waredwr i drigolion byd. Yn ein myfyrdod heddiw diolchwn am bob cyfrwng i adrodd y stori a dathlu rhyfeddod Bethlehem. Yn y cyfnod sy'n arwain at y Nadolig, cymorth ni i weld Iesu fel canolbwynt ein haddoliad a deall mai'r un yw Crist y crud a Christ y groes. Amen.

Darlleniad: Mathew 1: 18–2: 12

Cyflwyniad

Mae stori'r Nadolig yn gyfarwydd i ganran sylweddol o blant y gwledydd Cristnogol, a hynny am iddi fod yn rhan mor amlwg i'w hadrodd. Yn ystod y bedwaredd ganrif ar bymtheg a'r ugeinfed ganrif datblygodd yr ymwybyddiaeth o'r hanes a nodir gan Mathew a Luc mewn amrywiol ffyrdd. Nid felly y bu ar hyd y canrifoedd gan mai'r Pasg oedd y brif ŵyl eglwysig. Datblygwyd yr arfer o ddwyn cyfarchion i deulu a chyfeillion ar 25 Rhagfyr, ac estynnwyd hynny gyda dyfodiad y modd o argraffu cardiau. Bu'n ddyddiad i gadw Cymanfa Ganu mewn rhai ardaloedd ac Eisteddfod mewn mannau eraill. Yn ystod yr ugeinfed ganrif yn arbennig, gwelodd y masnachwyr eu cyfle i droi gŵyl y goleuni i fod yn ŵyl y gwariant gwirion. Yn ddiddorol, nid oes cyfeiriad yn Efengyl Marc at hanesion Bethlehem, ac nid yw Efengyl Ioan yn eu crybwyll chwaith.

Myfyrdod

Aeth yr hanes Beiblaidd ar goll ynghanol llu o draddodiadau eraill, ac mewn sawl cyflwyniad Nadolig sylwir bod Iesu ar yr un llwyfan â chymeriadau rhaglenni teledu neu storïau gwerinol o sawl gwlad. Daeth Sion Corn yn amlycach a rhoddwyd Iesu gyda'i breseb i'r naill ochr. Bu'n ffasiwn gan y siopau i drefnu cornel lle byddai'r cymeriad barfog a'i gôt goch yn estyn rhoddion i blant a fu'n aros yn amyneddgar er mwyn gweld ei ryfeddodau.

Fel rhan o'r ymateb i hyn, gwelodd Sally Humble-Jackson, gwraig ganol oed o gefndir Anglicanaidd yng Nghaerdydd, yn dda i gasglu ei ffrindiau ynghyd a cheisio lleoliad i gynnal 'Drama'r Geni'. Dewisodd festri'r Tabernacl ar yr Ais yng nghanol Caerdydd i leoli'r ddrama, a chytunodd y Tabernacl i roi benthyg ei festri i'r pwrpas. Bu'r cyflwyniad cyntaf yn 2010 a gwahoddwyd ysgolion i drefnu cludiant i'w disgyblion i ddod i weld y ddrama. Oedolion oedd mwyafrif yr actorion, gydag ambell un yn dewis cymryd rhan o'u gwyliau blynyddol i fod yn rhan o'r cast. Roedd y sylwebaeth wedi ei recordio a meim oedd cyfrwng y cyflwyno. Defnyddiwyd sgiliau pypedwyr i ddangos rhan y bugeiliaid, ac roedd yr angel yn ymddangos mewn ffurfiau eraill. Nod y gweithgarwch oedd dweud y stori fel bod plant y ddinas yn cael cyfle i weld y darnau yn dod ynghyd. Nid efengyleiddio oedd y bwriad, a gwelwyd llu o bobl o grefyddau eraill yn dod â'u plant i weld a mwynhau'r ddrama.

Mae sawl ardal arall yng Nghymru yn arbrofi gyda'r cynllun gan gynnwys Aberdâr, Pen-y-bont, Caerfyrddin a Chaernarfon. Byddai angen cyfalaf i greu'r set ar bob ardal yn ogystal â phobl i actio a stiwardio, a digon o gyhoeddusrwydd i sicrhau cynulleidfaoedd. Amcangyfrifir bod dros 32,000 wedi gweld y cyflwyniad dros yr wyth mlynedd gyntaf yng Nghaerdydd, a gwerthfawrogir cydweithrediad nifer dda o eglwysi i sicrhau llwyddiant y fenter.

Gweddi

O aed, O aed yr hyfryd wawr ar led,
  goleued ddaear lydan!
  Halelwia! Amen.

Y Salmydd Cymreig, priodolir i David Charles (*Caneuon Ffydd* 49)

Hulio'r Byrddau adeg y Nadolig

Gweddi

Nefol Dad, yr hwn sy'n ein gwahodd i wledd y bywyd, agor ein llygaid yn y myfyrdod hwn i weld sut y gallwn rannu'r gwahoddiad mewn ffordd ymarferol i'r unig at fyrddau ein cymdeithas eglwysig. Amen.

Darlleniad: 2 Brenhinoedd 4: 42–44

Cyflwyniad

Bydd cyfnod Eliseus a'r hanesion sy'n gysylltiedig ag ef yn rhyfeddol, ac yn hanes y gŵr o Baal-salisa yn dod â'r bara sanctaidd at ŵr Duw cawn gysgod o hanes Iesu yn troi byrbryd bachgen bach i fod yn ddigon i fwydo'r miloedd.

Pan ddeallwyd ganddynt bod y rhoddwr am gynnig y bara i'r cant o wŷr a oedd gerllaw, ymatebodd yr offeiriaid a wasanaethai yn y cysegr drwy ddweud nad oedd digon yno ar gyfer cymaint o bobl. Eto, ar anogaeth y rhoddwr bara, gwahoddwyd y dynion i fwyta ac ar y diwedd roedd pawb wedi eu digoni gyda bwyd yn weddill.

Nid yw cofnodydd Llyfr y Brenhinoedd yn cynnig eglurhad nac esboniad, ond bod yr hanes yn gwahodd pobl at y byrddau a rhywfodd bydd digon ar gyfer y sawl sy'n cyrraedd. Dywed lawer am ffydd a rhyfeddod yr hyn a wnaeth Duw gyda'r ychydig y bydd dynion yn ei gyflwyno. Dywed lawer hefyd am draddodiad anrhydeddus yr Iddew o rannu ac ymddiried yn llaw Duw.

Myfyrdod

Bydd llawer o eglwysi yn manteisio ar y cyfleoedd a ddaw i ymgynnull o gwmpas y byrddau, ac mae traddodiad anrhydeddus gan yr eglwysi o gwmnïa a mwynhau pryd, boed ar ddiwedd oedfa neu gynhadledd, neu ar achlysuron dathlu yn hanes yr eglwys.

Ceir enghreifftiau hefyd o eglwysi yn cydweithio gydag eraill i drefnu darpariaeth ar gyfer y dieithriaid adeg y Nadolig. Bydd rhai Cristnogion sydd heb deulu yn ei weld fel cyfle i wasanaethu eraill tra ceir hanes am bobl yn ildio eu pryd bwyd arferol eu hunain er mwyn dangos bod yr eglwys yn uniaethu gyda'r sawl sy'n ddigartref ac yn ddigysur. Ceir enghreifftiau hyfryd o garedigion felly yn Nhrecynon, Aberdar, a Chlydach yng Nghwm Tawe. Bu sawl tref yn cynnig gwasanaeth tebyg dan faner 'Crisis at Christmas', a byddai'n braf i ni glywed am ardaloedd eraill sydd wedi mentro gyda chynlluniau tebyg. Nid pawb all wneud hyn wrth reswm, fel pob cynllun arall, ond mae'n ymdrech brydferth i ddangos bod yr eglwys yn gynhwysol a pharod ei gwasanaeth.

Gweddi

Arglwydd y torthau a darparwr y Bwrdd Sanctaidd, dyro i ni weledigaeth o'r posibl yn ein bro. Maddau i ni os byddwn yn chwilio am yr agweddau negyddol cyn rhoi o'n gorau i'w goresgyn. Dyro i ni dy weld di wrth y byrddau ac yn troi'r prydyn bychan yn wledd y bywyd. Amen.

Canu Clod

Gweddi

Agorwn ddrysau mawl
i bresenoldeb Duw;
pan fydd ein calon ni'n y gân
ei galon ef a'n clyw. Amen.

John Gwilym Jones (*Caneuon Ffydd* 3)

Darlleniad: Salm 149

Cyflwyniad

Mae rhyw gyfaredd mewn canu cynulleidfaol sy'n cael ei werthfawrogi gan amryw o grefyddau'r byd. Weithiau bydd fel siant, dro arall bydd ar alaw boblogaidd ar ffurf emyn. Disgrifir Llyfr y Salmau fel casgliad o emynau'r Iddewon, ac mae amryw ohonynt yn amlwg ganadwy. Cyfeirir at ganu emyn ar ddiwedd y Swper Olaf (Marc 14: 26) a gwerthfawrogir bod emyn yn medru bod yn ddatganiad o fawl a myfyrdod, gweddi ac eiriolaeth, heb anghofio yr emynau o ymgysegriad.

Cafodd emynau lawer o ddylanwad yn y Diwygiad Protestannaidd, a bu cyfraniad gwaith William Williams fel emynydd yn allweddol bwysig i roi credo ar ffurf cân. Yn niwygiad 1904–05 roedd canu yn rhan amlwg o'r profiadau ysbrydol, a gwyddom fod gan gerddoriaeth le canolog ym mhob un o'r traddodiadau Cristnogol, ar wahân i addoliad y Crynwyr.

Myfyrdod

Cyfraniad hyfryd nifer o eglwysi fydd ymweld â chartrefi sy'n gofalu am yr henoed a dwyn addoliad i ganol sefyllfaoedd felly. Bydd rhai unawdwyr neu bartïon canu yn mwynhau ymweld â'r cartrefi hyn a difyrru'r deiliaid. Profiad amryw sydd wedi tystio i hyn yw gweld y sawl sy'n dioddef o anghofrwydd neu fath o ddementia yn teimlo'r awydd i ymuno yn y gân. Mae'r gweithgarwch hwn yn fendith i bawb ac yn dwyn cymdogaeth ynghyd. Bydd rhai eglwysi yn dewis ymweld â chartrefi preifat eu haelodau a chanu carolau gan ddifyrru a dwyn cyfarchion i rai sydd yn gaeth i'r tŷ o bosibl.

Mae i gerddoriaeth yn gyffredinol ac i ganu cynulleidfaol lu o rinweddau sy'n llesol i'r enaid. Bydd harmoneiddio naturiol yn y datganiad yn pwysleisio pwysigrwydd harmoni ymhlith y cantorion. Mae'r alaw yn denu pobl i wrando a bydd y gerddoriaeth yn medru deffro rhywbeth yn yr enaid sy'n ddyfnach na deall dynion.

Dwy nodwedd amlwg y garol yw bod y geiriau yn dweud y stori tra bod y gerddoriaeth yn denu pobl i rhythm y ddawns. Wrth ganu'r carolau ar ddiwedd blwyddyn ac ymlaen i dymor y plygain, gwahoddwn y gynulleidfa i dderbyn yr hanes ac i ddilyn Arglwydd y ddawns i'r yfory a ddaw.

Gweddi
Diolchwn i ti Nefol Dad am gerddoriaeth, ac yn arbennig am hyfrydwch y carolau sydd i'w canu dros gyfnod y gaeaf ar ôl y Nadolig. Canwn ein moliant i ti Arglwydd ac ymroi i ddatgan dy glod ar hyd y flwyddyn. Amen.